Quando penso al modo [in cui uso]
il termine «studio», [noi]
siamo impegnati a favore dell'idea
che lo studio è quello che si fa
con altre persone. È parlare e andare
in giro con altre persone, lavorare,
ballare, soffrire, una qualche
irriducibile convergenza di tutte
e tre le cose, tenute insieme sotto
il nome di pratica speculativa.

La nozione di prova – essere in una
specie di laboratorio, suonare in
un gruppo, in una jam session, o
dei vecchi seduti sotto a un portico,
o della gente che lavora insieme
in una fabbrica – incorpora queste
varie forme di attività. Il senso
di chiamarlo «studio» è per rimarcare
che l'intellettualità incessante
e irreversibile di queste attività
è già presente.

Stefano Harney
Fred Moten

# Undercommons

Pianificazione fuggitiva
e studio nero

τ

AB

# Undercommons
## Pianificazione fuggitiva e studio nero

# La comunità fuggitiva dello studio nero

Technoculture Research Unit

*Undercommons* è un testo forse troppo recente per essere considerato un classico, eppure prezioso e potente tanto da essere diventato in poco tempo un vero e proprio testo di culto, se con questo termine intendiamo un oggetto di «studio», concepito come attività sotterranea, appassionata, sociale e rivoluzionaria. Il nucleo originario da cui il testo proviene è un saggio intitolato *The University and the Undercommons*: *Seven Theses*, pubblicato inizialmente sulla rivista statunitense "Social Text" nel 2004. In questo saggio, gli autori esprimevano il bisogno di pensare insieme le condizioni del lavoro accademico in università sempre più dominate dai principi della governance, dal linguaggio finanziarizzato dei debiti e crediti formativi, dal precariato diffuso soprattutto nella didattica, ma non solo. Un'università dominata dalla tendenza verso la «professionalizzazione» dei saperi (a cui si oppone secondo gli autori sempre più vanamente e funzionalmente la «critica»), e infine, specialmente in riferimento a quella statunitense, da livelli molto alti di debito accumulati da studentesse e studenti per poter affrontare gli studi universitari. E però non si tratta dell'ennesimo libro sulla crisi dell'università, e ciò per almeno due motivi. In primo luogo perché, come osservano Harney e Moten, l'università è diventata il modello di una più generale organizzazione «informale» del lavoro, che non resta confinata all'accademia ma diventa sempre più diffusa ed estesa (pensiamo ai giganti di internet come Apple, Google, Microsoft e Facebook i cui quartieri generali hanno letteralmente la forma di un campus). In secondo luogo, perché non è l'Università in quanto tale a costituire la posta in gioco, o meglio il luogo da «conservare», per usare uno dei termini del libro, ma qualcosa di più profondo ed essenziale: la vita sociale dell'intellettualità di massa e la sua attività principale, cioè lo «studio» o la forma sociale del pensare insieme, così come si dispiega nei sotterranei degli undercommons che titolano il libro.

Gli undercommons sono dunque l'underground dei commons, uno spazio magico, nel senso che Isabelle Stengers dà al termine quando ci chiede di «reincantare» il mondo, e al contempo reale, in cui si entra quando si pensa insieme, si vive insieme, si specula insieme. Negli undercommons entriamo quando cerchiamo di «elaborare un modo diverso di vivere insieme alle altre, di stare con gli altri, non solo con altre persone, ma con altre cose e altri tipi di sensi», e lo «studio» è ciò che si fa con gli altri, quando si parla e si cammina, si lavora, si balla o si soffre insieme. È la stanza delle infermiere, la cucina della mensa, il backstage del teatro, le aree dove si aggregano i rider delle piattaforme tra una consegna e l'altra, e il bagno delle scuole. Siamo andate all'università pubblica ma era privata. Siamo andati al negozio di fotocopie, alla bottega palesti-nese, alla libreria indipendente, al baretto, negli spazi occupati (o «liberati») e lì c'era il pubblico, lì c'era lo spazio per studiare, per pensare, per vivere insieme.

«Il senso di chiamarlo 'studio'», sottolinea Moten, è rimarcare «l'incessante e irreversibile intellettualità di queste attività», e come fare queste cose significhi «essere coinvoltə[1] in una sorta di pratica intellettuale comune». Chiamare «studio» tutto ciò significa sottolineare come la «vita intellettuale» non è il privilegio esclusivo di una classe, ma qualcosa che «è già al lavoro intorno a noi» – una considerazione che amplifica e diversifica enormemente la storia del pensiero. Nelle parole di Jack Halberstam che introducono il testo, «dobbiamo tuttə cambiare le cose che ormai sono fottute e il cambiamento non può venire nella forma che noi pensiamo come 'rivoluzionaria' – come un impeto mascolino o uno scontro armato». La rivoluzione verrà in una forma che non possiamo immaginare, e Moten e Harney ci suggeriscono che ci dobbiamo preparare studiando. Lo studio, «un modo di pensare con le altrə separato da quella forma di pensiero richiestaci dall'istituzione», ci prepara a vivere in quello che Harney chiama il «con e per»,

---

1 Carə lettorə, se ti sei imbattutə in questo simbolo grafico è perché abbiamo un problema. Traducendo dall'inglese, i limiti imposti dall'uso del maschile sovraesteso nella norma linguistica italiana generano un conflitto con la volontà degli autori e delle case editrici di rivolgersi a una comunità accogliente per le esperienze di dissidenza dai generi, come quelle trans e non binarie. Da tale esigenza viene la scelta editoriale di declinare il genere grammaticale utilizzando alternativamente sia il maschile che il femminile, e di introdurre in questo libro lo schwa (ə), vocale centrale dell'Alfabeto fonetico internazionale, presente in inglese ma anche in molti dialetti italiani. Questa vocale è uno dei segni grafici adottati da quelle comunità che recentemente si sono interrogate sulle potenzialità di un uso più inclusivo della lingua italiana. Per saperne di più rispetto a questa scelta e al dibattito scaturito all'interno del gruppo che ha collaborato alla traduzione del libro, rimandiamo alla parte iniziale del saggio conclusivo, *Sconcerto a più voci: con e per gli undercommons.*

e permette di passare meno tempo «antagonizzate e antagonizzanti» nell'accademia dell'infelicità.

Come i due autori sottolineano, in questo libro non c'è una narrazione coerente, una teoria che inizia nel primo capitolo e finisce nell'ultimo, ma «una raccolta di cose che risuonano l'una con l'altra, piuttosto che svilupparsi in sequenza». Il libro però è innanzitutto, come sotto-linea Moten stesso, una conversazione tra i due autori, ma anche tra due filoni di pensiero: il post-operaismo italiano (quello che nel testo chiamano «il pensiero dell'autonomia»), e la tradizione radicale nera. Da un lato Antonio Negri, Mario Tronti, Paolo Virno, Franco Berardi, Maurizio Lazzarato, Sandro Mezzadra, Christian Marazzi; dall'altro Frantz Fanon, Cedric Robinson, Denise Ferreira da Silva, Sara Ahmed, Frank Wilderson, Gayatri Spivak, Robin Kelley e Ruth Wilson Gilmore. Una conversazione dunque tra pensieri minoritari, marcati dalla linea della classe e del colore (il lavoro e la *blackness*, la nerezza), nonché del genere e del sesso.

Questo dialogo a più voci informa la conversazione tra i due autori, cioè Stefano Harney, ricercatore interdi-sciplinare all'intersezione tra arte, studi umanistici e scienze sociali, e Fred Moten, poeta, filosofo e studioso della nerezza, a cui si aggiunge nell'ultimo capitolo, che ha la forma di una intervista, anche l'editore Stevphen Shukaitis. Il primo, Stefano Harney, autore di uno studio sulla cultura diasporica caraibica e di una ricerca sul potenziale politico del lavoro dei dipendenti pubblici, è attualmente professore onorario alla British Columbia

University, dopo un periodo in cui si dice che avesse trasformato il Dipartimento di Business Management di un prestigioso ateneo inglese in una Zona Temporaneamente Autonoma di un *general intellect* marxista sovversivo. Il secondo, Fred Moten, attualmente docente di *performance studies* presso la New York University, è autore di volumi di poesia, ma anche di fondamentali testi teorici dei cosiddetti *black studies,* e più recentemente di una trilogia dal titolo *consent not to be a single being.* È stato premiato nel 2020 con una MacArthur Fellowship «per aver creato nuovi spazi concettuali per forme emergenti di estetica, produzione culturale e vita sociale nera». Coetanei e amici dai tempi dell'università ad Harvard, uno bianco e praticamente sosia del Jeff Bridges di *The Big Lebowski,* l'altro nero e a suo agio tanto nel ruolo di predicatore occasionale sul pulpito della Trinity Church di Wall Street che nel volteggiare vorticosamente come un derviscio nero e queer in *Gravitational Feel,* lavoro in collaborazione con l'artista Wu Tsang.

Gli undercommons a cui si riferisce il libro possono dunque essere letteralmente letti come l'intersezione tra l'*underground railroad,* la rete sotterranea che dal tardo '700 fino alla fine della guerra civile americana aiutava gli schiavi del sud a fuggire verso il nord e la libertà (romanzata recentemente da Colson Whitehead nella *Ferrovia sotterranea)* e i commons, cioè non solo le terre comuni dell'Inghilterra medievale la cui espropriazione, attraverso le *enclosures* (recinzioni), secondo Marx segna l'inizio della storia del capitale, ma anche e forse soprattutto le terre comuni di nativə, aborigenə e indigenə, dalla cui violenta espropriazione coloniale l'Occidente ha tratto le basi della sua ricchezza. In questo momento di espropriazione violenta che segna il passaggio dal saccheggio premoderno all'accumulazione moderna, nella dialettica marxista del capitale/lavoro, appare anche lo spettro del lavoro della schiava – del corpo merce mobile, della stiva della nave e della piantagione, il cui ruolo nell'equazione del valore marxista, come ci ricorda Denise Ferreira da Silva, appare come letteralmente nullificato. Gli undercommons ci invitano a vedere i commons dal punto di vista dei colonizzati, e il lavoro dal punto di vista dello schiavo, per ripensare il modo in cui oggi i commons ritornano nella forma degli undercommons, l'underground dei commons, in cui lo studio, cioè la pratica di un intelletto sociale, persiste come forma di un «antagonismo generale».

È a partire dalle conversazioni tra i due autori sul lavoro universitario che dunque inizia il libro. La domanda che avvia il dialogo è: perché pur facendo quello che amiamo, lo facciamo in modi che non ci piacciono? Come preservare quello che ci piace, e farlo insieme? Gli undercommons sono il luogo in cui produrre una conoscenza che non ricalchi la tendenza hegeliana verso l'auto-enciclopedizzazione dei saperi, ma dove tracciare piuttosto linee di fuga, piani fuggitivi, insediamenti *maroon* – come quelli costruiti dalle schiave fuggitive delle Indie Occidentali. Questo sottrarsi all'interpellanza istituzionale, ci dicono Moten e Harney, ci rende «inadatti all'assoggettamento». Essere dichiarati inadatti all'esercizio corporativo della conoscenza – l'odierna università – non significa semplicemente opporsi alla macchina infernale di esercizi di ricerca, *peer review* e tabelle di produttività, ma anche andare oltre la posizione dell'intellettuale critico, che secondo Moten e Harney finisce per essere il lato complementare della valutazione. Gli undercommons dell'università non stanno nella critica, ma nella formazione di comunità fuggitive, nel rimanere al di sotto del radar, nel non farsi scoprire, nel coltivare relazioni trasversali con l'antagonismo generale che non sta tanto fuori o dentro, ma sotto la vita delle istituzioni. L'unico rapporto possibile con l'università, ci dicono Moten e Harney, è quello criminale: rubare e portare le sue risorse nell'oscurità dei sotterranei e negli «undercommons dell'illuminismo». Il rischio per l'intellettuale sovversiva che vive negli undercommons è di essere scoperta, e l'accusa più usuale che le viene mossa è di non essere professionale.

Gli undercommons dunque connettono la precarietà, che è diventata la modalità prevalente del lavoro intellettuale istituzionale, a quell'insieme di luoghi, spazi e discussioni in cui si elaborano piani di fuga verso quello che eccede l'università e il suo dominio dei saperi, quell'«oltre della politica» che l'istituzione non può riconoscere o configurare. Lo studio, dunque, quando avviene lo fa spesso in zone «precarie», cioè sospese dalla funzionalità dell'intelletto universale dell'Università e della formazione che cercano invece costantemente di ignorarle e sminuirle. Gli undercommons mirano dunque all'abolizione della *Universitas*, nello stesso senso in cui si chiede l'abolizione delle carceri e del lavoro, cioè, con le parole di Moten, «abolizione non come eliminazione di qualcosa, ma abolizione come fondazione di una nuova società».

Coltivare slealtà e tradimento alla ragione certificata può significare anche diventare una fuorilegge, criminale o teppista intellettuale che rifiuta di rispettare l'ordine del discorso, che infrange le regole cercando senso proprio nella resistenza e nella risposta indisciplinata ma persistente di una tensione verso il pensare e vivere collettivamente. Significa diventare parte di una comunità di rifugiate che, letteralmente «senza casa», sempre in corsa verso un'impresa collettiva, rendono instabili e queer i regimi sessuali e razziali che sottendono le credenziali epistemologiche esistenti.

Gli undercommons sono dunque letteralmente il luogo dei senza dimora, dei «non strutturati», di quelli sempre in viaggio. È un essere a casa dove la comprensione di «casa» è costantemente negoziata in un passaggio senza finalità: la casa come processo piuttosto che come luogo. Questa geografia sradicata permette ai molteplici venti del mondo di soffiare attraverso i paesaggi sfregiati che abitiamo. Non c'è una conoscenza immagazzinata in un arresto disciplinare, ma il bagaglio di un passaggio composto da incontri collaborativi, rifugi e soste lungo le variazioni e i capricci del percorso. Una comunità verso la quale lavorare piuttosto che un consenso raggiunto, un'apertura emergente piuttosto che un'agenda consolidata. Si raccolgono dalla *wake* – che in inglese significa sia scia che veglia funebre – di questo viaggio altri racconti critici che ci sottraggono alla brutale realtà capitalistica e neoliberale del «non c'è alternativa». Negli undercommons ci sottraiamo alla recinzione del regime di proprietà liberale e delle sue leggi coloniali per cercare quel mondo più ampio che il primo domina e depreda. Ribaltare l'espropriazione e derubare il colonizzatore del suo dominio, della sua civiltà, interrompere e scompigliare il suo linguaggio patriarcale, significa dunque entrare negli undercommons come durante il periodo dello schiavismo si entrava nella cospirazione della *underground railroad*.

## UN TESTO OSCURO

Bisogna anche dire che *Undercommons* è stato spesso accusato di essere un testo difficile e oscuro, che non si presta a immediate decodifiche, che è difficile da leggere, che ti costringe a fermarti spesso, di cui non sempre e immediatamente si capisce che cosa vuole davvero dire. La provocazione/sfida della in/comprensibilità e intra-ducibilità del testo si esprime come una sensazione, o un sentimento, di inavvicinabilità, che produce effetti anche stridenti di discordanza e perfino rigetto. È però proprio la produzione di dissonanze che ha spesso carat-terizzato, e valorizzato, certi generi musicali (ad esempio il jazz, un riferimento culturale importante per l'estetica di questo testo), nella loro capacità di interrompere la melodia consueta e i ritmi preconfezionati dell'ascolto. *Undercommons* chiede non tanto di essere letto allo scopo di inquadrarne il senso, ma di essere «ascoltato» per seguirne il percorso. Sospesi tra le note e attirati dagli intervalli, si insinuano altri modi per suonare e ritmare il mondo, dove un'altra forma di scrittura sostiene e nutre l'emergere di altre forme di vita. Il testo non comunica una posizione o una tesi in primis, ma letteralmente la suona. In questo modo prende forma la possibilità di una scrittura genuinamente nera, la cui nerezza va oltre l'argomento trattato o il colore della pelle di chi scrive, per affiorare invece in ciò che Toni Morrison descriverebbe come «il fraseggio, la struttura, la trama e la tonalità» delle parole. Una scrittura il cui senso più intimo sembra rimanere celato allo sguardo di chi legge, ma che allo stesso tempo mantiene tutto in bella mostra, proprio lì davanti a noi – e tuttavia, come recita il proverbio, solo «per chi ha orecchie per ascoltare». Come nel progetto sudafricano Sojourner, le «frequenze» sfuggono alla nostra visione e ascolto, diventando luoghi in cui si sentono i confini del segno, della scrittura, del suono. La rivoluzione è nera come nei bar e nei club di Chicago e Detroit. Come dice l'artista Jenn Nkiru, la voce del nero emerge oltre il limite del non ancora che si vela e si disvela tramite una rottura che stabilisce il diritto a respirare.

Pur senza poterlo affermare con certezza, ci sembra di ritrovare qui l'impronta di Fred Moten, il poeta appassionato di jazz, che nei suoi lavori individuali ritorna spesso sull'eccesso del linguaggio e del regime visivo come una strategia che consente di pensare con la nerezza, attraverso e oltre le sue incarnazioni consuete. All'inizio di *In the Break*, ad esempio, egli afferma di essere interessato alla convergenza tra la nerezza e «il suono irriducibile che accompagna la performance necessariamente visiva sulla scena dell'obiezione». Lo stesso testo descrive apertamente la musica nera come la socializzazione di quello stesso surplus che la schiavitù cerca di estrarre e mettere a profitto, e che invece resiste nella materialità fonica dell'urlo della zia Esther, frustata

dal capitano Anthony in quella che è la scena fondamentale nelle *Memorie* di Frederick Douglass. Ancora,
questa volta in *Black and Blur*, Moten sostiene che il jazz
non risolve il problema ma piuttosto pone il problema;
un problema senza soluzione, ma sul quale occorre continuare a interrogarsi. Lontana dalle sociologie, l'idea di
musica che Moten ci restituisce non prescinde dall'elemento sonoro inteso nella sua cruda materialità, ma lo
riporta invece al centro. E il rumore, eccedendo le possibilità
della quantificazione, è ciò che per costituzione resiste alla
cattura e pertanto che più si avvicina alla sfuggente essenza
della nerezza attorno a cui la sua riflessione si sviluppa.

La tradizione radicale nera, che secondo Toni Morrison
«manovra nell'oscurità», è il lato oscuro del mito bianco di
derivazione europea. Il lavoro in questione, invisibile e non
rappresentato, è la linea di basso che riverbera attraverso
l'edificio, attirando ai piani superiori ciò che circola nello
studio per produrre un mix sovversivo. Lì, nell'oscurità
dei margini, come nei bassifondi urbani e nei campi della
piantagione, incontriamo i fantasmi della modernità.
Le coordinate di questo spazio critico sono suggerite e
sostenute dalla tradizione e dalla continua trasforma-
zione dei suoni neri: da Bessie Smith, Billie Holiday e Nina
Simone a Sun Ra, John Coltrane, James Brown e oltre.
La tattica quotidiana della sopravvivenza e dell'arran-
giarsi diventa la strategia e il metodo critico dell'improvvisazione, ma è anche più di questo. La resistenza porta
anche a riconfigurazioni e inaugura orizzonti di rivoluzione,
come quando Frantz Fanon parlando a Roma nel 1959
menziona il provocatorio «nuovo umanesimo» del bebop.

In quanto processo che rifiuta le categorie preparate dalla società bianca, il jazz e la musica nera hanno costantemente promosso la libertà di indipendenza e innovazione. I linguaggi imposti dalla società bianca non vengono semplicemente ribaltati ma, rifiutandone la logica imperiosa, vengono radicalmente disfatti e rielaborati, promuovendo un altro racconto dell'essere nel mondo, non autorizzato, dal basso, come nella mutazione di *My Favorite Things* nel suo passaggio da Julie Andrews in *The Sound of Music* alla sua interpretazione da parte del John Coltrane Quartet. Le armonie chiuse e i ritmi rigidi della versione bianca vengono creolizzati, spezzati, approfonditi, piegati, contorti ed estesi. La musica di Coltrane rifugge la partitura stabilita per viaggiare e acquisire non semplicemente un altro suono ma anche altre semantiche storiche e culturali che rifiutano la rappresentazione richiesta, esemplificando «l'invito di Moten a riscattare il corpo dalla spazialità/temporalità, dalla catena di significazione in cui la filosofia moderna lo ha imprigionato». *Undercommons* partecipa dunque a quel processo onto-epistemologico che Achille Mbembe chiama «il divenire nero del mondo» che si manifesta in pensieri e pratiche che eccedono e smontano le coordinate stabilite e sorvegliate dal mondo occidentale.

Quello che è in gioco è dunque anche la rottura con quella che Judith Butler, nel suo commento all'assoluzione degli agenti della polizia di Los Angeles per il pestaggio di Rodney King nel 1992, già definì un'episteme «razzializzata», ciò che Denise Ferreira Da Silva definisce come «grammatica razziale» e quello che Moten, riprendendo Fanon, chiama «il punto di vista da cui emana la violenza del colonialismo e del razzismo». È rispetto a questa episteme e a questo punto di vista che l'arte nera dissemina un deliberato disordine che genera una rottura, un taglio nella narrazione nazionale e nella presunta coesione della modernità occidentale, esponendo la nevrosi della nazione, riconoscendo, con Moten, che «le estetiche più avventurose e sperimentali, quelle dove la dissonanza viene emancipata, sono in stretto contatto con l'esperienza più fottuta, brutale e orribile di essere simultaneamente vite stivate e abbandonate».

In parte progetto politico, in parte opera d'arte, *Undercommons* sembra incorporare questi ragionamenti nella scrittura stessa in maniera coerente e coscientemente perseguita, e assumendosi i rischi del caso. Il testo dice più di quanto le parole non facciano; e, come spesso accade, l'eccesso diventa rumore alle orecchie di alcuni. Se la possibilità della decodifica segna anche il limite del linguaggio, Harney e Moten scelgono di spingersi oltre. La forma si fa sostanza, l'estetica politica: è questa la lezione fondamentale di una tradizione radicale che abbraccia con la stessa intensità il marxismo nero e il blues, il cricket nei parchi di Londra e i sound system nelle strade di Kingston, i pugni neri alzati contro il cielo ieri a Città del Messico e oggi a Portland, e al cui mosaico questo libro intende aggiungere un tassello più che rendere omaggio. E qui risiede probabilmente parte del suo fascino, come anche alcuni dei motivi che hanno spinto una comunità tutta bianca, anche se nei termini di una grammatica razziale comunque etnicizzata dalla sua prevalente meridionalità, a farne prima l'oggetto di uno studio collettivo e appassionato, e poi a cimentarsi in quest'introduzione. Nella continua elaborazione di strategie per sfuggire alla cattura, l'arte nera e le forme di vita che essa sostiene – ciò che Laura Harris descrive come *the aesthetic sociality of blackness* – si mantengono aperte e includenti, impure e attraversabili. Ma non si lasciano possedere. Piuttosto, mettono chi prova ad appropriarsene nella condizione di venirne posseduto a sua volta.

## POSIZIONAMENTI, CATTURE, DESIDERI DI FUGA

*Undercommons* è dunque un testo posizionato e che ci posiziona, rendendo la «posizionalità» un elemento importante nella lettura del testo e nella relazione con gli undercommons. Non si tratta solo di una posizionalità individuale, cioè quella che si ricopre dentro – o fuori – l'istituzione universitaria, se si è un soggetto minoritario, che fa parte di una comunità/controcultura, o una attivista che ha uno spazio militante tra l'attivismo e l'accademia, ma anche dell'esperienza collettiva delle comunità di studio che si continuano a formare negli undercommons della *Universitas*. Comunità desideranti, laddove il desiderio in quanto pulsione che sabota l'ordine del Capitale diventa invece quel surplus che l'università neoliberista vuole mettere a valore, nella tensione tra ciò che si può mettere sul tavolo per negoziare un posto nell'istituzione e ciò che appartiene solo agli undercommons, e che è da sottrarre per impoverirla, se non proprio per distruggerla o perlomeno per abolirla. Il punto è che il plusvalore di ciò che produciamo nell'università – ma anche altrove nella misura in cui è la vita sociale stessa che è messa a valore – siamo molto spesso noi stessə a sottrarlo alle comunità minoritarie di cui facciamo parte, dove ancora viene prodotto pensiero critico trasformativo, che noi traduciamo (puliamo, discipliniamo, trasportiamo) nel nostro lavoro accademico. Un'altra parte di questo surplus, che è la parte che ci ha fatto trovare sotto il tetto dello stesso rifugio, è la frenesia, l'urgenza, l'inafferrabile desiderio di voler cambiare il mondo.

Non è forse un caso che poi – con prospettive molto diverse, strumenti diversi, background diversi – sia la Technoculture Research Unit che ha scritto «insieme» questa introduzione, che il gruppo di lavoro che «insieme» e in continuo contatto con gli autori ha condotto questa traduzione, si ritrovino negli studi culturali, postcoloniali e decoloniali con il loro interesse per dei linguaggi (la musica, la letteratura, le arti visive, la grammatica computazionale degli algoritmi) che hanno una parte di inafferrabile, di incompleto e di indeterminato. È quell'eccesso, su cui si aprono i mondi, in cui abbiamo intravisto per un secondo un mondo altro, meno stolidamente «bianco» e più gioiosamente «scuro», che resta irriducibile alla codifica della *Universitas*. Questo non vuol dire che non ci siano arrivate addosso (a qualcuno negli stinchi, a qualcuno sui denti) delle domande sulla tenuta di quel rifugio. Perché affinché quel rifugio tenga, affinché sia permesso di parassitare, di continuare a costruire gli undercommons, quel surplus che non è sul tavolo della negoziazione, ci viene richiesta una forma di professionalizzazione che non è solo l'ingiunzione a tradurre espropriando i commons della nostra comunità, quindi di amministrare il mondo, ma di amministrare anche tutto ciò che è fuori dal mondo, incluse noi stesse. Lo spossessamento non solo non può essere etico, ma è doloroso quando si sa di sottrarre qualcosa dai saperi incarnati della tua comunità, e ancora di più quando si realizza che quando l'*Universitas* avrà finito di divorare ciò che si mette sul tavolo passerà oltre. È in questo senso che il debito, a cui sono dedicate delle pagine importanti di questo libro, può essere letto come una forma di *brokenness* (un termine che in inglese mantiene una irriducibile ambivalenza tra l'essere in bancarotta ed essere «rotti», danneggiati), ma anche come principio di elaborazione, di socializzazione, in cui non c'è una forma di giustizia riparativa, perché laddove si attiva una forma di credito, il credito stesso verrà reso privato. Come ci dicono Moten e Harney, «il debito è sociale e il credito asociale». E quindi questo testo ci lascia con una serie di domande che ci sollecitano a nuovi pensieri e a continuare a studiare e complottare insieme. È possibile tenere insieme il lavoro di riproduzione dell'università neoliberista, l'*Universitas* (quindi quella cosa che riesce a produrre valore da tutti i saperi) e la produzione di vie di fuga? Come? Qual è dunque il nostro lavoro? Questa è una domanda molto importante che i *cultural studies* hanno lasciato in eredità agli *studies* che sono venuti fuori dalla sua «esplosione», cioè i *black studies*, *queer studies*, *gender studies*, *disability studies*, *animal studies*... Come resistiamo da intellettuali senza diventare dei critici professionisti? Come resistiamo all'esproprio? Come facciamo in modo che i nostri critical studies non diventino il valore di un master? Come garantiamo la sopravvivenza nostra e collettiva? E come facciamo a non romanticizzare l'idea che una «pura devozione alla critica di questa illusione ci rende deliranti»? Cosa significa dunque abbattere la critica?

Chi è il nemico illusorio? Come si pratica l'autodifesa? E come si fa a far sì che l'autodifesa non sia solo il modo in cui ci garantiamo un credito nell'università ma un modo di difendere i nostri undercommons e i nostri rifugi? Come li ripariamo? Come li ri-apriamo? Come riconosciamo la nostra stessa forza affermativa, capacità istituente, potenza sociopoetica? Come costruiamo archivi che non si nutrano di espropri e metodologie che non trovino la coerenza interna nella rassegnazione? Perché se sul tavolo mettiamo quello che abbiamo in comune, sotto il tavolo, nello spazio degli undercommons, mettiamo tutto il desiderio con cui vogliamo cambiare il mondo.

—

L'Unità di Ricerca sulle Tecnoculture (Tru) è il nome scelto da un gruppo di studiosə per definire un progetto di ricerca nato all'interno del Centro di Studi Postcoloniali e di Genere dell'Università degli Studi di Napoli «L'Orientale», con lo scopo di tematizzare l'imprescindibile rapporto che lega la cultura alla tecnologia e alla tecnica. L'unità condivide una parte delle proprie riflessioni attraverso un blog (technoculture.it) e i social; costruisce momenti di partecipazione dal vivo attraverso seminari, workshop e gruppi di lettura, e partecipa ai percorsi politici della città.

Le due importanti ricerche di Stefano Harney citate in questa introduzione sono contenute rispettivamente in

*Nationalism and Identity*: *Culture and the Imagination in a Caribbean Diaspora* (University of West Indies Press, 1996) e in *State Work*: *Public Administration and Mass Intellectuality* (Duke University Press, 2002).

Per quanto riguarda la produzione poetica di Fred Moten, segnaliamo *Arkansas* (Pressed Wafer, 2000), *I ran from it and was still in it* (con Theodore A. Harris, Cusp Books, 2007), *The Little Edges* (Wesleyan University Press, 2015), *The Feel Trio* (Letter Machine Editions, 2014). Tra i suoi saggi, invece, l'indispensabile *In the Break*: *The Aesthetics of the Black Radical Tradition* (University of Minnesota Press, 2003) e la trilogia *consent not to being a single being*: *Black and Blur* (2017), *Stolen Life* (2018) e *The Universal Machine* (2018), tutti editi da Duke University Press.

La scultura-performance citata nel testo, di Wu Tsang e Fred Moten è *Gravitational Feel*, presentata come una parte di *If I Can't Dance's Finale for Edition VI – Event and Duration* (Amsterdam, Splendor 2015-2016).
Il sito thesojournerproject.org è consultabile per un approfondimento sul Sojourner Project South Africa.

### RIFERIMENTI BIBLIOGRAFICI
### DEI TESTI CITATI NELL'INTRODUZIONE

Fred Moten, *In the Break*. *The Aesthetics of the Black Radical Tradition*, University of Minnesota Press, 2003, pp. 1 e 12-22.
Fred Moten, *Black and Blur*, Duke University Press, 2017, p. xii.

Toni Morrison in conversazione con Paul Gilroy in Paul
    Gilroy, *Small Acts. Thoughts on the Politics of Black
    Culture*, Serpent's Tail, 1993, pp. 178 e 181.
Denise Ferreira da Silva, *Per la critica della violenza
    razziale. Due considerazioni su* I dannati della terra
    in *Fanon postcoloniale. I dannati della terra oggi*, a
    cura di Miguel Mellino, ombre corte, 2013, p. 110.
Judith Butler, *Tra razzismo e paranoia bianca: il peri-
    colo di chi mette in pericolo*, «Multiverso», 7, pp.
    62-64, consultabile online su multiversoweb.it.

## ALTRI TESTI MENZIONATI

Colson Whitehead, *La ferrovia sotterranea*, Sur, 2017.
Karl Marx, *La cosiddetta accumulazione originaria.
    Capitolo 24* in *Il capitale. Libro I*, Utet, 1973.
Lisa Lowe, *The Intimacies of Four Continents*, Duke
    University Press, 2015.
Denise Ferreira da Silva, *1 (Life) ÷ 0 (Blackness)* = ∞ – ∞ *or* ∞ /
    ∞: *On Matter Beyond the Equation of Value*, «e-flux»,
    79 (2017), consultabile online su e-flux.com.
Christina Sharpe, *In the Wake: On Blackness and Being*,
    Duke University Press, 2016.
Achille Mbembe, *Critica della ragione negra*, Ibis, 2019.
Laura Harris, *Experiments in Exile. C.L.R. James, Hélio
    Oiticica, and the Aesthetic Sociality of Blackness*,
    Fordham University Press, 2018.

Undercommons

Al nostro mentore,
Martin L. Kilson

# L'oltre selvaggio: con e per gli undercommons

Jack Halberstam

Finisce con l'amore, lo scambio, la comunanza. Finisce come inizia, in movimento, tra vari modi di essere e di appartenere, e verso nuove economie del dare, del prendere, dell'essere con e per; e finisce con un giro in una Buick Skylark verso un luogo completamente diverso. Sorprendente, forse, dopo che ci siamo occupatə di spossessamento, debito, dislocazione e violenza. Ma non poi così inaspettato quando avrete capito che i progetti di «pianificazione fuggitiva e studio nero» sono rivolti per lo più all'apertura di un dialogo, per trovare dei legami; sono rivolti al fare causa comune con la rottura dell'essere, una rottura, oserei dire, che è anche nerezza, rimane nerezza, e che nonostante tutto rimarrà rotta e in rovina, perché questo libro non è una prescrizione per alcuna riparazione o risarcimento.

Cosa succede se non cerchiamo di riparare ciò che è stato rotto? Come ci proponiamo di vivere con la rottura, con il fatto di essere in rovina, che è anche ciò che Moten e Harney chiamano «debito»? Beh, dato che il debito è a volte una storia del dare e altre volte del prendere e, tutte le volte, una storia del capitalismo, e visto che il debito significa anche una promessa di proprietà che tuttavia non mantiene mai questa promessa, dobbiamo comprendere che il debito è qualcosa che non potrà mai essere ripagato. Il debito, come sostiene Harney, presuppone una specie di relazione individualizzata

con un'economia naturalizzata che si basa sullo sfruttamento. Possiamo concepire – si chiede – un altro senso di
ciò che è dovuto che non presupponga un nesso di attività
quali riconoscimento e accettazione, pagamento e gratitu-
dine? Può il debito «diventare un principio di elaborazione»?

Nell'intervista con Stevphen Shukaitis, Moten collega il
debito economico alla rottura dell'essere; riconosce che
alcuni debiti dovrebbero essere pagati, e che molto deve
essere dato specialmente alla popolazione nera da quella
bianca, eppure afferma: «So anche che ciò che dovrebbe
essere risarcito è impagabile. Non può essere riparato.
L'unica cosa che possiamo fare è buttare giù completamente questo schifo e costruire qualcosa di nuovo».
Gli undercommons[2] non vengono mai per pagare questi
debiti, per riparare quello che è stato rotto, per aggiustare
quello che è stato rovinato.

Se volete sapere cosa vogliono gli undercommons, cosa
vogliono Moten e Harney, cosa vuole la gente nera, cosa
vogliono le popolazioni indigene, queer e povere, e cosa
noi (il «noi» che coabita lo spazio degli undercommons)
vogliamo, è questo: non possiamo essere soddisfattə del

---

2  La parola undercommons è stata sin dall'inizio una sfida traduttiva,
in quanto accoglie in sé sia la forte allusione alla teoria dei *commons* che,
come gli autori puntualizzano, una nuova modalità comune di stare al
mondo, non vincolata all'idea di un luogo preciso. Abbiamo deciso di non
tradurla per mantenere la vicinanza semantica e fonica ai *commons*, ma
anche per prendere in prestito questa nuova modalità di stare al mondo.
Tuttavia, laddove appare in forma di aggettivo, il termine è stato tradotto
come «sottocomune» per adattarlo alla lingua italiana ma anche come
esperimento semantico.

riconoscimento e dell'accettazione generati da quello stesso sistema che nega a) che qualcosa di rotto sia mai esistito e b) che meritavamo di essere la parte rotta e in rovina; pertanto, ci rifiutiamo di chiedere riconoscimento e vogliamo invece disfare, smantellare e abbattere la struttura che, proprio adesso, limita la nostra abilità di (ri)trovarci, per vedere al di là di essa e avere accesso ai luoghi che sappiamo essere al di fuori delle sue mura. Non possiamo ancora dire quali nuove strutture rimpiazzeranno quelle in cui viviamo, perché una volta che avremo buttato giù questo schifo saremo inevitabilmente capaci di vedere di più e in modo diverso, e sentire un nuovo senso di volere, essere e divenire. Quello che vorremo dopo «la rottura» sarà diverso da ciò che pensiamo di volere prima di essa, ed entrambe le cose sono necessariamente distinte dal desiderio che scaturisce dall'essere nella rottura, in rovina.

Arriviamoci in un altro modo. Nella melanconica e visionaria versione filmica del 2009 di *Nel paese dei mostri selvaggi* (1963) di Maurice Sandak, Max, il piccolo cercatore che lascia la sua stanza, la sua casa, la sua famiglia per trovare il selvaggio oltre, trova un mondo di bestie perdute e solitarie che prontamente lo fanno re. Max è il primo re che le creature selvagge hanno avuto e che non hanno mangiato; è anche colui che, a sua volta, non ha cercato di mangiarle; e le bestie sono le prime cose adulte incontrate da Max che vogliono la sua opinione, il suo giudizio, le sue regole. Il potere di Max è di essere piccolo mentre loro sono grandi; lui promette alle bestie che non ha intenzione di mangiarle, e questo è più di quanto chiunque abbia mai promesso loro.

Promette che troverà un sotterfugio, o un altro percorso, per «sgattaiolare inosservato» e che ritroverà di nuovo la via se si dovesse mai perdere. Promette di tenere a bada la tristezza e di creare un mondo con quei mostri selvaggi che «ruggivano terribilmente, digrignavano terribilmente i denti, roteavano i loro occhi terribilmente e mostravano i loro terribili artigli». Che Max non riesca a rendere felici le creature selvagge, o a salvarle, o a creare un mondo con loro, è meno importante del fatto che le abbia trovate e che abbia riconosciuto in loro la fine di qualcosa e, potenzialmente, il cammino verso un'alternativa al suo mondo. Le cose selvagge non erano le creature utopiche delle fiabe. Erano i soggetti rifiutati e persi del mondo che Max si era lasciato alle spalle e, poiché egli naviga in lungo e largo tra la terra edipica governata da sua madre e il mondo in rovina del selvaggio, conosce i parametri del reale – vede ciò che è incluso e ciò che è escluso, e ora è in grado di salpare per un altro luogo, un luogo che non è né la casa che ha lasciato, né la casa a cui vuole tornare.

Moten e Harney vogliono indicare un altro luogo, un luogo selvaggio che non è semplicemente lo spazio residuale che delinea le zone reali e regolamentate della società civile; è piuttosto un luogo selvaggio che produce continuamente la sua stessa natura selvaggia e sregolata. La zona in cui entriamo attraverso Moten e Harney è in corso ed esiste nel presente, e come dice Harney, «una sorta di domanda era già in atto, soddisfatta nella chiamata stessa». Nel descrivere le rivolte di Londra del 2011, egli suggerisce che i disordini e le insurrezioni non separano «la richiesta, la domanda e la chiamata» –

Jack Halberstam

piuttosto, mettono in atto l'una nell'altra: «Ma penso che per la chiamata (nel modo in cui la intendo, cioè come nella chiamata e risposta) la risposta è già lì prima che la chiamata si manifesti. Sei già all'interno di qualcosa». *Ci sei già dentro*. Anche per Moten, sei sempre già nella cosa che chiami e che ti chiama. Inoltre, la chiamata è sempre un richiamo al dis-ordine, e questo disordine, o questa condizione selvaggia, si manifesta in molti luoghi: nel jazz, nell'improvvisazione, nel rumore. I suoni disordinati a cui ci riferiamo come cacofonia saranno sempre definiti come «extra-musicali», come dice Moten, proprio perché sentiamo in essi qualcosa che ci ricorda che il nostro desiderio di armonia è arbitrario e che in un altro mondo l'armonia suonerebbe come incomprensibile. L'ascolto della cacofonia e del rumore ci dice che c'è una natura selvaggia oltre le strutture che abitiamo e che ci abitano.

E quando siamo chiamati a quest'altro luogo, l'oltre selvaggio, «oltre l'oltre», nella terminologia appropriata di Moten e Harney, dobbiamo abbandonarci a un certo tipo di follia. Moten ci ricorda che, anche se aveva assunto una posizione anticoloniale, Fanon sapeva che essa «sembra folle», ma in quanto psichiatra sapeva anche *non* accettare la divisione organica tra razionalità e follia; e sapeva che per lui sarebbe stato folle non prendere quella posizione in un mondo che gli aveva assegnato il ruolo dell'irreale, del primitivo e del selvaggio. Fanon, secondo Moten, non vuole la fine del colonialismo, ma la fine del punto di vista secondo cui il colonialismo ha senso. Per porre fine al colonialismo allora non si deve dire la verità al potere, ma si deve abitare il linguaggio folle, insensato e farneticante dell'altra, l'altra che è stata resa dal colonialismo una non entità. In effetti la nerezza, per Moten e Harney attraverso Fanon, è la volontà di essere nello spazio che è stato abbandonato dal colonialismo, dalla norma, dall'ordine. Moten ci porta lì, concludendo su Fanon: «Alla fine, credo che Fanon arrivi a credere nel mondo, cioè nell'altro mondo dove abitiamo e, forse, persino coltiviamo questa assenza, questo luogo che si presenta qui e ora, nello spazio e nel tempo del sovrano, come assenza, oscurità, morte, e come cose che non sono (come direbbe John Donne)».

Il cammino verso l'oltre selvaggio è lastricato di rifiuto. In *Undercommons*, se cominciamo da qualche parte, cominciamo con il diritto di rifiutare ciò che ci è stato rifiutato. Citando Gayatri Spivak, Moten e Harney chiamano questo rifiuto il «primo diritto», ed è una sorta di rifiuto che cambia le regole del gioco, in quanto segnala il rifiuto delle scelte che ti sono offerte. Possiamo capire questo rifiuto nei termini usati da Chandan Reddy in *Freedom with Violence* (2011) – per Reddy, il matrimonio gay è l'opzione a cui non ci si può opporre nelle urne elettorali. Mentre possiamo far circolare molteplici critiche rivolte al matrimonio gay in termini di istituzionalizzazione dell'intimità, quando si arriva alle urne, penna in mano, si arriva solo a spuntare un «sì» o un «no» e il no, in questo caso, potrebbe essere più incriminante del sì. E così, devi rifiutare la scelta che ti si offre.

Moten e Harney studiano anche che cosa significherebbe rifiutare quello che denominano «il richiamo all'ordine»;

Jack Halberstam

e che cosa significherebbe, inoltre, rifiutare di richiamare all'ordine altre persone, rifiutare l'interpellanza e
la reistanziazione della legge. Quando rifiutiamo, suggeriscono Moten e Harney, creiamo dissonanza e, cosa
ancora più importante, permettiamo che la dissonanza
continui – quando entriamo in una classe e ci rifiutiamo
di richiamarla all'ordine, permettiamo che lo studio
continui, forse lo studio dissonante, lo studio disorganiz-
zato, ma è sicuramente quello studio che precede il nostro
richiamo e che continuerà dopo aver lasciato la stanza.
Oppure, quando ascoltiamo la musica, dobbiamo rifiutare
l'idea che la musica accade solo quando il musicista entra
e prende in mano uno strumento; la musica è anche l'an-
ticipazione dell'esecuzione e dei rumori di apprezzamento
che genera, è quel parlare che avviene attraverso e intorno
a essa, è farla e amarla, è esserci durante l'ascolto. E così,
quando rifiutiamo il richiamo all'ordine – l'insegnante
che prende il libro, il direttore che alza la bacchetta,
l'oratore che chiede il silenzio, il torturatore che stringe il
cappio – rifiutiamo l'ordine come distinzione tra rumore
e musica, chiacchiera e conoscenza, dolore e verità.

Esempi di questo tipo arrivano dritti al cuore del mondo
sottocomune di Moten e Harney – gli undercommons
non sono un regno in cui ci ribelliamo e creiamo
critica; non sono un luogo in cui «prender l'armi contro
un mare di problemi / e combattendo disperderli». Gli
undercommons sono uno spazio e un tempo che sono
sempre qui. Il nostro obiettivo – e il «noi» qui è sempre
il modo giusto di indirizzo – non è quello di porre fine
ai problemi, ma di porre fine al mondo che ha creato

problemi particolari come quelli a cui ci dobbiamo opporre. Moten e Harney rifiutano la logica che inscena il rifiuto come inattività, come assenza di un piano e come modalità di stallo della politica reale. Ci dicono di ascoltare il rumore che facciamo e di rifiutare le offerte che riceviamo per trasformare quel rumore in «musica».

Nel saggio meglio conosciuto di questo volume, *L'università e gli undercommons*, Moten e Harney cercano di spiegare la loro missione. Rifiutando di essere a favore o contro l'università e, di fatto, identificando l'accademico critico come il giocatore che mantiene ferma la logica del «pro e contro», ci portano negli *undercommons dell'illuminismo*, dove le intellettuali sovversive si dedicano sia all'università che alla fuggitività: «dove il lavoro viene portato a termine, dove il lavoro viene sovvertito, dove la rivoluzione è ancora nera, ancora forte». L'intellettuale sovversiva, impariamo, è poco professionale, poco collegiale, appassionata e sleale. L'intellettuale sovversiva non sta né cercando di estendere l'università né di cambiarla; non sta lavorando duramente nella miseria, eppure da questo luogo di infelicità sta articolando un «antagonismo generale». Infatti, si gode il viaggio e vuole che sia più veloce e selvaggio; non vuole una stanza tutta per sé, vuole stare nel mondo, nel mondo con le altre, vuole rifare il mondo. Moten insiste: «Come Deleuze. Credo nel mondo e voglio starci dentro. Voglio starci fino in fondo, perché credo in un altro mondo nel mondo, e voglio essere proprio *là*. E ho intenzione di rimanere un credente, come Curtis Mayfield. Ma questo è al di là di me, e anche oltre me e Stefano, e fuori nel mondo, nell'altra cosa, nell'altro mondo, nel gioioso rumore dell'*eschaton* discacciato e cantato a ritmo di scat, c'è il rifiuto sottocomune della misera accademia dell'infelicità».

Per gli abitanti degli undercommons la missione è quindi quella di riconoscere che quando si cerca di migliorare le cose, non lo si fa solo per l'Altra, lo si deve fare anche per sé stessi. Se gli uomini possono pensare di essere «sensibili» rivolgendosi al femminismo, se i bianchi possono pensare di essere nel giusto opponendosi al razzismo, nessuno di loro sarà davvero in grado di accogliere la missione del buttare «giù questo schifo», finché non si renderà conto che le strutture a cui si oppone non sono solo deleterie per alcuni di noi, ma per tutti noi. Le gerarchie di genere fanno male sia agli uomini che alle donne e sono davvero deleterie per il resto della gente. Le gerarchie razziali non sono razionali e ordinate, sono caotiche e insensate e devono essere contrastate proprio da tutti coloro che ne traggono in qualche modo beneficio. Oppure, come dice Moten: «La coalizione emerge dal riconoscimento che stai nella merda anche tu, nello stesso modo in cui abbiamo già riconosciuto che stiamo nella merda noi. Non ho bisogno del tuo aiuto. Ho solo bisogno che tu riconosca che questo schifo sta uccidendo anche te, anche se molto più dolcemente, stupido coglione, o no?»

La coalizione ci unisce nel riconoscimento che dobbiamo cambiare le cose o morire. Tuttə noi. Dobbiamo tuttə cambiare le cose che ormai sono fottute, e il cambiamento non può venire nella forma che noi pensiamo come «rivoluzionaria» – come un impeto mascolino o uno scontro armato. La rivoluzione arriverà in una forma che non possiamo ancora immaginare. Moten e Harney propongono che ci prepariamo adesso per ciò che verrà accedendo alla modalità dello studio. Lo studio – un modo di pensare con le altrə separato da quella forma di pensiero richiestaci dall'istituzione – ci prepara a essere incorporatə in quello che Harney chiama «il con e per», e permette di trascorrere meno tempo antagonizzate e antagonizzanti.

Come tutti gli incontri che costruiscono e sconvolgono il mondo, quando entrerete in questo libro e imparerete a stare con e per, in coalizione, e sulla strada verso il posto che stiamo già creando, sentirete anche paura, trepidazione, preoccupazione e disorientamento. Il disorientamento, vi diranno Moten e Harney, non è solo spiacevole ma necessario, perché non sarete più in movimento tra un posto e un altro, sarete invece già parte del «movimento delle cose» e in cammino verso questa «vita sociale fuorilegge della non-cosa». Il movimento delle cose può essere sentito e toccato, ed esiste nel linguaggio e nella fantasia: è volo, è movimento, è la fuggitività stessa. La fuggitività non è solo fuga, «uscita» come potrebbe dire Paolo Virno, o «esodo» nei termini offerti da Hardt e Negri, la fuggitività significa essere altro rispetto all'insediamento coloniale. È un essere in movimento che ha imparato che «le organizzazioni sono ostacoli all'organizzazione di noi stessi» (il Comitato invisibile nell'*Insurrezione che viene*), e che esistono spazi e modalità separati dalla logica, dalla logistica, da chi ha una casa e

una posizione. Moten e Harney chiamano questa modalità uno «stare insieme nel non aver casa», che non
idealizza la condizione dei senzatetto né semplicemente
la metaforizza. Il non avere casa è lo stato di spossessamento che cerchiamo e che abbracciamo: «Questo stare
insieme nel non avere casa, questa interazione nel rifiutare quello che ci è stato rifiutato, questa apposizionalità sottocomune: può tutto questo essere un luogo dal
quale non emerge né l'auto-coscienza né la conoscenza
dell'altrə, ma un'improvvisazione che procede da qualche
parte, dall'altra parte di una domanda non posta?»
Penso che sia quello che Jay-Z e Kanye West (un'altra
unità di studio collaborativo) intendono con «non c'è
religione nel mondo selvaggio».

Per Fred Moten e Stefano Harney dobbiamo fare causa
comune con quei desideri e (non)posizioni che sembrano
folli e inimmaginabili: dobbiamo, in difesa di questo
allineamento, rifiutare ciò che prima ci è stato rifiutato e in questo rifiuto rimodellare il desiderio, riorien-
tare la speranza, immaginare di nuovo la possibilità, e
farlo separatamente dalle fantasie annidate nei diritti e
nella rispettabilità. Le nostre fantasie devono, invece,
venire da quello che Moten e Harney, citando Frank
B. Wilderson III, chiamano «la stiva»: «Ed è così che
rimaniamo nella stiva, nella rotta sincopata e fuggitiva,
come se stessimo entrando ripetutamente nel mondo
rotto, in rovina, per (rin)tracciare la compagnia visionaria alla quale unirsi». La stiva qui è la stiva della
nave schiavista, ma è anche la presa che abbiamo della
realtà e della fantasia, la comprensione che hanno di noi,

e la comprensione[3] dell'altrə a cui decidiamo di rinunciare, preferendovi il toccare, l'essere insieme, l'amare. Se non c'è religione nel mondo selvaggio, se c'è studio piuttosto che produzione di conoscenza, se c'è un modo di stare insieme nella rottura e nella rovina, se esistono degli undercommons, allora dobbiamo tutti incontrarne il cammino. E non sarà lì dove sono le cose selvagge, ma sarà un luogo dove il rifugio non è necessario, e scoprirete che per tutto questo tempo eravate lì.

Con amore,
J

### RIFERIMENTI BIBLIOGRAFICI

Comitato invisibile, *L'insurrezione che viene* in *L'insurrezione che viene - Ai nostri amici - Adesso*, Nero, 2019.
Chandan Reddy, *Freedom with Violence: Race, Sexuality and the US State*, Duke University Press, 2011.
Maurice Sendak, *Where the Wild Things Are*, Harper Collins, 1988.

---

3  In italiano si perde la valenza polisemica di *hold* che si traduce, in questo caso, sia come «stiva» che come «presa sulle cose» e «comprensione».

# La politica
# accerchiata

Nella sua classica analisi antimperialista dei film hollywoo-diani, Michael Parenti fa notare la modalità del «rovescia-mento» che la «finzione mediatica» adopera per raffigurare l'insediamento coloniale. In film come *La più grande avven-tura* (1939) e *Shaka Zulu* (1987), il colonizzatore è ritratto come accerchiato dai «nativi», ribaltando così, secondo il punto di vista di Parenti, il ruolo dell'aggressore e facendo apparire il colonialismo come autodifesa. In questi film, infatti, aggressione e autodifesa sono invertite, sebbene l'immagine della fortezza accerchiata non sia del tutto falsa. Al contrario, è immagine falsa ciò che emerge quando una critica della vita militarizzata si basa sulla dimenticanza della vita che la accerchia. La fortezza era accerchiata per davvero, e continua a essere assediata da quello che ancora la circonda: il comune oltre e al di sotto – prima e dinanzi – della recinzione. L'onda di accerchiamento antagonizza il *laager*,[4] inonda il suo centro e, al contempo, sconvolge la realtà dei fatti con qualche pianificazione fuorilegge.

Il nostro compito è l'autodifesa dell'accerchiamento a fronte di spossessamenti ripetuti e mirati, realizzati attraverso

---

4  Termine afrikaans che si riferisce a un tipo di accampamento militare utilizzato durante l'occupazione coloniale in Sudafrica, formato da un ac-cerchiamento di vagoni.

l'incursione armata del colonizzatore. E mentre l'avida violenza genera questa autodifesa, è il ricorso all'auto-possesso a fronte dello spossessamento (il ricorso alla politica, in altre parole) che rappresenta il vero pericolo. La politica è un attacco ininterrotto al comune – l'antagonismo generale e generativo – dall'interno dell'onda di accerchiamento. Si consideri il Partito di Autodifesa delle Pantere Nere, le prime teoriche della rivoluzione dell'accerchiamento, il nero prima e dinanzi, quello che è già e quello che verrà. Il loro impegno congiunto per la rivoluzione e l'autodifesa emergeva dal riconoscimento che la preservazione della vita sociale nera è articolata nella e con la violenza dell'in-novazione. Ciò non è una contraddizione se la cosa nuova, che sempre chiama sé stessa, vive già intorno e sotto le fortezze, le stazioni di polizia, le superstrade sorvegliate e le torri carcerarie. Le Pantere hanno teorizzato la rivoluzione senza politica, che equivale a dire rivoluzione senza né un soggetto né un principio decisionale. Contro la legge, perché stavano generando legge, praticavano una pianificazione continua che doveva essere posseduta, ottimisticamente e irrimediabilmente e incessantemente indebitata; devota allo studio incompiuto e contrappun-tistico della, e nella, ricchezza comune, povertà e nerezza dell'onda di accerchiamento.

L'autodifesa della rivoluzione deve confrontarsi non solo con le brutalità, ma anche con l'immagine falsata della recinzione. La dura materialità dell'irreale ci convince del fatto che siamo circondatǝ, che dobbiamo prendere possesso di noi stessǝ; dobbiamo correggerci, rimanere in uno stato di emergenza, in una posizione permanente, insediatə, determinatə, proteggendo nient'altro che un illusorio diritto a quello che non abbiamo, e che il colonizzatore prende per e come beni comuni. Eppure, nel momento del diritto/dei diritti, i beni comuni sono già andati via nel movimento verso il – e del – comune che li circonda, insieme alla loro recinzione. Quello che rimane è politica, ma persino la politica dei beni comuni, della resistenza alla recinzione, può essere solo una politica di fini, una rettitudine orientata al fine regolatorio del comune. E anche quando l'elezione che era stata vinta si rivela persa, e quando la bomba detona e/o non riesce a detonare, il comune persevera come se fosse una sorta di altrove, qui intorno, sul suolo, a circondare fatti allucinogeni. Nel frattempo, la politica persiste come un militare in congedo illimitato, reclamando di difendere quello che non è stato recintato, recintando quello che non può difendere ma solo mettere in pericolo.

Essendosi insediato nella politica, il colonizzatore si arma in nome della civilizzazione, mentre la critica promuove l'autodifesa di chi, tra di noi, vede ostilità nell'unione civile tra l'insediamento e la recinzione. Se il nostro sguardo critico è abbastanza acuto, sosteniamo a buon diritto che è diabolico e ingiusto avere un posto al sole nella sporca sottigliezza di questa atmosfera; che quella casa che lo sceriffo stava costruendo si trova nel cuore di una ricaduta radioattiva. E se il nostro sguardo porta questa visione acuta ancora più lontano, pedineremo la polizia per consegnarla alla giustizia. Dopo aver cercato la politica al fine di evitarla, ci muoviamo l'uno accanto all'altra, per poter essere fuori di noi, perché ci piace la vita notturna che non è poi una bella vita. La critica ci fa sapere che la politica è radioattiva, ma la politica è irradiazione della critica. Quindi, è importante sapere per quanto tempo dobbiamo farlo, per quanto ancora dobbiamo essere espostə agli effetti letali della sua energia antisociale. La critica mette in pericolo la socialità che dovrebbe difendere, non perché potrebbe rivolgersi verso l'interno per danneggiare la politica, ma perché si rivolgerebbe a quest'ultima per poi volgersi verso l'esterno, quindi dalla fortezza all'onda di accerchiamento, se non fosse per la preservazione, che è data in celebrazione di quello che difendiamo, la forza sociopoetica che avvolgiamo stretta intorno a noi, dal momento che siamo poverə. È autodifesa ammantata di autopreservazione, quando abbattiamo la nostra critica, le nostre stesse posizioni, le nostre fortificazioni. Un abbattimento che arriva in movimento, come un mantello, come l'armatura di un volo fugace. Corriamo alla ricerca di un'arma e continuiamo a correre cercando di sganciarla. E possiamo sganciarla, perché sebbene armato, sebbene forte, il nemico che fronteggiamo è anche illusorio.

Una pura devozione alla critica di questa illusione ci rende deliranti. Nell'inganno della politica siamo insufficienti, scarsə, aspettiamo in sacche di resistenza, in vani di scale, in vicoli insicuri, invano. La falsa immagine e la sua critica minacciano il comune con la democrazia, che è sempre solo a venire, così che un giorno, che non avverrà mai, saremo più di quello che siamo. Ma lo siamo già. Siamo già qui, in movimento. Siamo stati nei dintorni. Siamo più della politica, più che insediati, più che democratiche. Circondiamo la falsa immagine della democrazia per destabilizzarla.

Ogni volta che cerca di rinchiuderci in una decisione, siamo indecisǝ. Ogni volta che cerca di rappresentare la nostra volontà, siamo riluttanti. Ogni volta che cerca di prendere radici, siamo andatǝ via (perché siamo già qui, in movimento). Chiediamo, raccontiamo e lanciamo un incantesimo che ci ha stregato, che ci dice cosa fare, come ci dobbiamo muovere qui dove balliamo la guerra dell'apposizione. Siamo in una trance che è sotto e intorno a noi. Ci muoviamo attraverso di essa ed essa si muove con noi al di fuori, oltre le colonie, al di fuori, oltre la riqualificazione, dove la notte scende nera, dove odiamo essere solǝ, per tornare poi di nuovo dentro, per dormire fino al mattino, bere fino al mattino, pianificare fino al mattino, come il comune abbraccio proprio dentro, e intorno, nell'onda di accerchiamento, dentro la sua stretta.

Nella chiara e critica luce del giorno, gli amministratori dell'illusione sussurrano il nostro bisogno delle istituzioni: e le istituzioni sono tutte politiche, e la politica tutta è correttiva; sembra allora che abbiamo bisogno di istituzioni nel comune, che trovino una sistemazione per quest'ultimo, che ci correggano. Ma non ci faremo correggere. Inoltre, non correttǝ come siamo, non c'è nulla di sbagliato in noi. Non vogliamo essere correttǝ e non saremo correttǝ dagli altri. La politica si propone di renderci migliori, ma andavamo già bene nel mutuo debito che non può mai passare per buono. Ce lo dobbiamo l'un l'altrǝ – falsificare l'istituzione, rendere la politica scorretta, dimostrare la falsità della nostra stessa determinazione. Ci dobbiamo l'un l'altrǝ l'indeterminato. Siamo tuttǝ in debito di tutto.

Un'abdicazione della responsabilità politica? Ok. Va bene, come vi pare. Siamo solo antipoliticamente romantici sulla vita sociale di fatto esistente. Non siamo responsabili della politica. Siamo l'antagonismo generale alla politica che incombe al di fuori di ogni tentativo di politicizzare, di ogni imposizione di auto-governance, di ogni decisione sovrana insieme alla sua versione in miniatura degradata, di ogni stato emergente e di ogni casa dolce casa. Siamo disgregazione e acconsentimento alla disgregazione. Preserviamo il sovvertimento. Inviatə per portare a termine abolendo, per rinnovare destabilizzando, per aprire la recinzione – la cui incommensurabile venalità è inversamente proporzionata alla sua effettiva dimensione – siamo riuscitə ad accerchiare la politica. Non possiamo rappresentarci. Non possiamo essere rappresentatə.

# L'università
# e gli
# undercommons

La filosofia, dunque, pratica tradizionalmente
una critica del sapere che è simultaneamente
una denegazione del sapere (per esempio,
della lotta di classe). Si può descrivere la sua
posizione come un'ironia nei confronti della
conoscenza, che essa mette in discussione
senza mai toccarne le fondamenta. La messa in
discussione della conoscenza nella filosofia finisce
sempre con la sua restaurazione: un movimento
al quale tutti i grandi filosofi, sistematicamente
e reciprocamente, si espongono.

Jacques Rancière,
*Sur la théorie de l'idéologie politique d'Althusser*

Sono un uomo nero, numero uno perché
mi oppongo a quello che ci hanno fatto e
continuano a farci; e numero due,
ho da dire la mia sulla nuova società
da costruire, perché il ruolo che ho in quello
che hanno cercato di screditare è enorme.

C.L.R. James,
*C.L.R. James: His Life and Work*

# L'UNICA RELAZIONE POSSIBILE
## CON L'UNIVERSITÀ OGGI
## È UNA RELAZIONE CRIMINALE

«Tornerò all'università furtivo, e lì vivrò di furto» per prendere in prestito, come sicuramente lui stesso avrebbe fatto con noi, le parole di Pistola alla fine dell'*Enrico V*. Questa è oggi l'unica relazione possibile con l'università statunitense e potrebbe valere per ogni università, in ogni parte del mondo. Potrebbe essere vero per l'università in generale. Ma, certamente, è tanto più vero negli Stati Uniti: non si può negare che l'università sia un luogo di rifugio e non si può accettare che sia un luogo di rivelazione illuminista. Alla luce di tali condizioni, non si può entrare nell'università se non furtivamente e, una volta dentro, rubare tutto il possibile. Abusare della sua ospitalità, ostacolare la sua missione per unirsi alla sua colonia di profughi, di rifugiate, al suo campo nomade, per essere nell'università ma non dell'università – questo è il percorso dell'intellettuale sovversiva nell'università moderna.

Preoccupati dell'università. È questa l'ingiunzione negli Stati Uniti oggi, una prassi normativa con una lunga storia alle spalle. Chiedine la restaurazione, come hanno fatto Harold Bloom, Stanley Fish o Gerald Graff. Chiedine la riforma, come hanno fatto Derek Bok, Bill Readings o Cary Nelson. Richiamala, come essa ti richiama. Ma per l'intellettuale sovversiva tutto questo va avanti ai piani alti, tra persone perbene e uomini razionali. Dopotutto, l'intellettuale sovversiva è venuta sotto falsi pretesti, con i documenti sbagliati e per amore. Il suo lavoro è tanto necessario quanto indesiderato. L'università ha bisogno di quello che lei apporta, ma non sopporta quello che porta con sé. E, come se non bastasse, scompare. Si dilegua nel sottosuolo, nella subdola comunità clandestina delle schiave fuggitive dell'università, negli *undercommons dell'illuminismo*, dove il lavoro viene portato a termine, dove il lavoro viene sovvertito, dove la rivoluzione è ancora nera, ancora forte.

Qual è quel lavoro, quale la sua capacità sociale, in grado di riprodurre l'università e al contempo produrre fuggitività? Se si dicesse l'insegnamento, si farebbe performativamente il lavoro dell'università. L'insegnamento non è che una professione e un'operazione di quel «circolo dello stato onto-/auto-enciclopedico» che Derrida chiama *Universitas*. Eppure, è utile invocare questa operazione per avere la possibilità di intravedere il buco nel recinto da cui entra la forza lavoro, di intravedere il suo ufficio di collocamento, i suoi quartieri notturni. L'università ha bisogno della manodopera docente, nonostante sé stessa o in quanto sé stessa, identificandosi con essa al punto di venirne cancellata. Non è l'insegnamento che mantiene quella capacità sociale, ma qualcosa che produce l'altro volto invisibile della didattica: un pensare attraverso la sua pelle, verso un orientamento collettivo all'oggetto della conoscenza come progetto futuro, e un impegno verso quello che vogliamo chiamare organizzazione profetica. E tuttavia, è l'insegnamento a portarci dentro questo mondo sociale. Prima delle borse di studio, della ricerca, delle conferenze, dei libri e delle riviste accademiche, c'è l'esperienza dell'essere state educate e dell'insegnare.

Prima del posto di ricercatrice senza cattedra, prima che i dottorandi correggano gli esami, prima della serie di anni sabbatici, prima della riduzione permanente del carico didattico, della nomina per dirigere il Centro, della consegna della pedagogia a una materia chiamata formazione, prima che un corso possa diventare un nuovo libro: prima di tutto questo, c'è stato l'insegnamento.

Pertanto, il momento della didattica per guadagnarsi da vivere è spesso considerato, erroneamente, come una fase, come se poi alla fine non si debba insegnare per vivere. Se la fase persiste, si parla allora di una patologia sociale nell'università. Ma se la didattica è superata con successo, la fase è sorpassata e l'insegnamento è consegnato a coloro che si sa essere rimaste in quella fase, la manodopera socio-patologica dell'università. È interessante notare che Kant definisce questa fase come «minorità auto-indotta», e cerca di contrastarla attraverso l'invito ad avere «la determinazione e il coraggio di usare la propria intelligenza senza essere guidati da qualcun altro». «Abbi il coraggio di usare la tua intelligenza». Ma cosa vorrebbe dire ciò, se la didattica o, piuttosto, quello che potremmo chiamare «l'oltre della didattica» è esattamente ciò che ci viene chiesto di oltrepassare per smettere di trarne sostentamento? E cosa ne è di quelle minoranze che rifiutano, quelle tribù sotterranee di talpe che non torneranno indietro dall'oltre (da quello che è oltre «l'oltre della didattica»), come se non fossero soggetti, come se, invece, volessero pensare come oggetti, come minoranza? Di certo, i soggetti perfetti della comunicazione, quelli che sono riusciti ad andare oltre la didattica,

le vedranno come scarto. Ma il lavoro collettivo delle minoranze metterà sempre in discussione chi sta prendendo,
per davvero, gli ordini dall'illuminismo. Lo scarto vive per
quei momenti oltre la didattica, quando si svela la parola
inattesa e bella – inattesa, nessuno l'ha chiesta, bella, non
tornerà mai più. Ma il biopotere dell'illuminismo è davvero
meglio di questo?

Forse il biopotere dell'illuminismo lo sa, o forse reagisce
all'oggettualità di questa forza lavoro, come è di suo dovere.
Ma anche quando dipenderà da quelle talpe e da quella
colonia di rifugiati e profughe, le considererà come non strut-
turate, poco funzionali, naif e non professionali. Potrebbe
essere data loro un'ultima chance per essere pragmatiche –
perché rubare quando si può avere tutto? – si chiederanno.
Eppure, se ci si dovesse nascondere da questa interpellanza, senza acconsentire o dissentire, ma immergendosi
a piene mani nel sottoterreno dell'università, negli Undercommons – questo sarebbe considerato come un furto, un
atto criminale. E allo stesso tempo, l'unico atto possibile.

In questi undercommons dell'università si può consta-
tare che il problema non riguarda l'opposizione tra didattica e ricerca o, addirittura, tra l'oltre della didattica
e l'individualizzazione della ricerca. Entrare in questo
spazio significa abitare la soglia rivelatrice, interrom-
pente e rapita del bene comune che l'illuminismo fuggitivo
rappresenta; abitare uno spazio criminale, matricida,
queer; abitare una riserva; abitare per strada, lungo il
cammino della vita rubata, la vita (de)rubata dall'illuminismo e ripresa sempre con il furto, dove il bene

comune offre rifugio, dove il rifugio offre il bene comune. Ciò che riguarda veramente l'oltre della didattica non è il suo realizzarsi, né superarsi o completarsi; è invece lasciare che la soggettività sia illegalmente sopraffatta dalle altrǝ, una passione radicale e una passività tali che si diventa inadattǝ all'assoggettamento, poiché non si possiede quella sorta di agentività che possa contenere le forze regolatrici della soggettivazione, così come non si può dar corso a quel momento di forza auto-interpellante richiesto e premiato dall'assoggettamento al biopotere. Non è tanto una questione di didattica, quanto di una profezia contenuta nell'organizzazione dell'atto di insegnare. La profezia che predice la sua propria organizzazione e che, quindi, è stata accettata, in qualità di bene comune, e la profezia che eccede la sua propria organizzazione e che, pertanto, può solo essere solo ancora da organizzare. Contro l'organizzazione profetica degli undercommons si è schierato ciò che dell'insegnamento è la sua stessa manodopera mortificante per l'università e, oltre ciò, la negligenza della professionalizzazione e la professionalizzazione dell'accademico critico. Quello degli undercommons è sempre, perciò, un quartiere pericoloso.

Come ci ricorda Fredric Jameson, l'università dipende dalle «critiche di tipo illuminista, dalla demistificazione del credo e dall'ideologia impegnata, al fine di preparare il terreno per la pianificazione incontrastata e per lo 'sviluppo'». È questa la debolezza dell'università, la faglia nella sua sicurezza nazionale. Ha bisogno di forza lavoro per questa «critica di tipo illuminista» ma, non si sa come, la manodopera sfugge sempre.

I soggetti prematuri dell'undercommons hanno accolto la chiamata in modo serio, o hanno dovuto prenderla sul serio. Non erano molto chiari circa la pianificazione da mettere in atto, troppo mistici, troppo pieni di fede. Eppure, questa forza lavoro non può riprodursi da sé, deve essere riprodotta. L'università lavora per vedere il giorno in cui potrà finalmente disfarsi, come fa generalmente il capitale, del problema della forza lavoro. Sarà poi capace di riprodurre una forza lavoro che si autoconsidera non solo come non necessaria, ma anche pericolosa per lo sviluppo del capitalismo. Gran parte della pedagogia e della ricerca è già dedita a questa tendenza. Le studentesse devono arrivare a vedersi come il problema che, contrariamente alle rimostranze dei critici restauratori dell'università, consiste esattamente nell'essere clienti, caricarsi del fardello della realizzazione ed esservi, sempre e necessariamente, inadeguate. Successivamente, queste studentesse si vedranno esattamente come ostacoli per la società, o forse le studentesse tutte torneranno avendo, attraverso la formazione continua, diagnosticato sé stesse come il problema.

Eppure, il sogno di una manodopera indifferenziata che riconosca sé stessa come superflua è interrotto proprio da quel lavoro che spazza via gli impellenti sbarramenti dell'ideologia. Sebbene sia meglio che questa funzione poliziesca sia nelle mani di pochi, ciò sopraeleva ancora il lavoro come differenza, lavoro come sviluppo di altro lavoro e, quindi, lavoro come fonte di ricchezza. E sebbene la critica di tipo illuminista, come suggeriremo più avanti, fornisca informazioni e ispiri ogni sviluppo autonomo come risultato di questa differenza nel lavoro, c'è una breccia nel muro qui, una parte poco profonda del fiume, un posto sotto le rocce dove prendere rifugio. L'università ha ancora bisogno di questo lavoro clandestino per preparare la forza lavoro indifferenziata, la cui crescente specializzazione e le cui tendenze managerialistiche, ancora una volta in contrasto con i reclami dei restauratori, rappresentano esattamente l'integrazione riuscita della divisione del lavoro con l'universo dello scambio che governa la lealtà restauratrice.

Introdurre questo lavoro sul lavoro e dare spazio al suo sviluppo crea dei rischi. Così come le forze della polizia coloniale, senza rendersene conto, reclutavano combattenti tra i quartieri in guerriglia, il lavoro universitario può dare rifugio ai profughi, alle rinnegate, ai fuorilegge, alle naufraghe. Ma ci sono buone ragioni per cui l'università confida che questi elementi saranno scoperti o costretti nel sottosuolo. Le precauzioni sono state prese, sono stati compilati gli elenchi bibliografici, le osservazioni didattiche sono state effettuate e sono stati anche redatti gli inviti a mandare contributi. Malgrado ciò, contro queste precauzioni si ergono l'immanenza della trascendenza, la deregolamentazione necessaria e le possibilità della criminalità e della fuggitività richieste dal lavoro sul lavoro. Comunità maroon[5] di insegnanti di scrittura, dottorande

---

5  Con il termine maroon ci si riferisce a persone afrodiscendenti che si sono auto-liberate dal sistema di schiavitù nelle Americhe, attraverso forme di resistenza quali, in particolare, la fuga dalla piantagione, la rivolta e il rifiuto o il rallentamento del lavoro. Alcunǝ di questǝ fuggiaschǝ riuscirono a stabilirsi in nuove città o rifugi, dando il via a un processo noto come marronage. Nel testo, tali persone sono indicate sia come maroon che come «schiave fuggitive».

senza supervisore, storici marxisti a contratto, docenti di management dichiaratamente queer e omosessuali, dipartimenti di studi etnici di università statali, programmi di cinema rimossi, case editrici di riviste di studenti yemeniti con visto scaduto, sociologhe di università storicamente «nere» e ingegneri femministi. E cosa dirà di loro l'università? Dirà che sono poco professionali. Questa non è un'accusa arbitraria. È l'accusa contro il più che professionale. Come fanno coloro che eccedono la professione, che eccedono e che eccedendo scappano, come fanno quelle comunità di schiave fuggitive a problematizzarsi e a problematizzare l'università, obbligandola a considerarle come un problema, una minaccia? In poche parole, l'undercommons non è quel genere di comunità fantasiosa invocata da Bill Readings alla fine del suo libro. Gli undercommons, le sue comunità *maroon*, le sue schiave fuggitive, sono sempre in guerra, sempre in agguato.

## NON ESISTE DISTINZIONE TRA L'UNIVERSITÀ STATUNITENSE E LA PROFESSIONALIZZAZIONE

Ma sicuramente, se si può scrivere qualcosa sulla superficie dell'università, se nell'università si può scrivere, per esempio, sulle singolarità – quegli eventi che rifiutano sia la categoria astratta che individuale del soggetto borghese – non si può allora affermare che non ci sia dello spazio nell'università stessa, non è forse così? Sicuramente, qui c'è spazio per una teoria, una conferenza, un libro, una scuola di pensiero, non è forse così? Sicuramente, anche l'università riesce a rendere possibile il pensiero, non è forse così? Non è lo scopo dell'università in quanto *Universitas*, in quanto insieme di arti liberali, produrre il bene comune, fare la cosa pubblica, costituire la nazione della cittadinanza democratica? Non è, quindi, importante proteggere questa *Universitas*, qualunque siano le sue impurità, dalla professionalizzazione nell'università? E ciò nondimeno, vorremmo chiedere: cosa non è già possibile in questo discorso sulla possibilità che aleggia nei corridoi, tra gli edifici, nelle aule dell'università? Com'è che il pensiero del fuori, come lo intende Gayatri Spivak, non sia già più possibile in questa denuncia?

Le schiave fuggitive ne sanno qualcosa della possibilità. Sono loro la condizione di possibilità della produzione di conoscenza nell'università – le singolarità contro gli scrittori della singolarità, gli scrittori che scrivono, pubblicano, viaggiano e fanno conferenze. Non si tratta esclusivamente della questione del lavoro segreto sul quale tale spazio viene eretto, nonostante quest'ultimo sia certamente eretto dal, e attraverso il, lavoro collettivo. Piuttosto, essere un accademico critico all'interno dell'università significa essere contro l'università; ed essere contro l'università significa sempre riconoscerla e trarne riconoscimento; istituire la negligenza di quel fuori interiore, quel sottoterreno non assimilato, una negligenza di quello che è esattamente, dobbiamo insistere, la base delle professioni. Questo essere contro esclude da sempre i modi non riconosciuti della politica, l'oltre della politica già in movimento, la para-organizzazione criminale screditata, quella che Robin Kelley potrebbe definire come un campo infrapolitico (insieme alla sua musica). In quell'organizzazione chiamata università, l'idea dello spazio intellettivo non solo nega il lavoro delle schiave fuggitive, ma anche la loro organizzazione profetica. Questo spiega perché la negligenza dell'accademico critico sia sempre, al contempo, un'affermazione dell'individualismo borghese.

Tale negligenza è l'essenza della professionalizzazione, dove si scopre che la professionalizzazione non è l'opposto della negligenza, bensì la sua modalità politica negli Stati Uniti. Prende la forma di una scelta che esclude l'organizzazione profetica degli undercommons – essere contro, mettere in discussione l'oggetto (della) conoscenza, l'università in questo caso, lasciatecelo pure dire, non tanto senza toccare le sue fondamenta, quanto senza toccare la propria condizione di possibilità, senza lasciar entrare gli Undercommons ed esservi ammessǝ. Ne deriva che una negligenza generale di tale condizione sia l'unica posizione coerente. Non tanto un antifondazionalismo o un fondazionalismo, in quanto entrambi sono usati l'uno contro l'altro per evitare il contatto con gli undercommons. Quest'atto perennemente negligente è quello che ci porta a dire che non esiste una distinzione tra l'università negli Stati Uniti e la professionalizzazione. È inutile cercare di contrapporre l'università alla sua professionalizzazione. Sono la stessa cosa. Eppure, le schiave fuggitive rifiutano di rifiutare la professionalizzazione, ovvero rifiutano di essere contro l'università. L'università non riconoscerà questa indecisione e, di conseguenza, la professionalizzazione sarà formata esattamente da quello che non può riconoscere, il suo antagonismo interno, il suo lavoro imprevedibile, il suo surplus.

Contro questo lavoro ribelle manderà il critico, lancerà il suo appello secondo cui quello che rimane oltre ciò che è critico non è altro che una perdita.

In effetti, però, la formazione critica tenta solo di perfezionare la formazione professionale. Le professioni si costituiscono in opposizione al non regolamentato, all'impreparato, senza riconoscere il lavoro non professionale, non regolamentato e impreparato che persiste non all'opposto, ma al loro interno. Tuttavia, se mai la formazione professionale dovesse venire meno al suo lavoro, se mai dovesse rivelare la sua condizione di possibilità alle professioni che sostiene e ricostituisce, la formazione critica vi si presenterebbe per raccoglierla e dirle: non preoccuparti, era solo un brutto sogno, erano solo i vaneggiamenti e le raffigurazioni deliranti di chi ha perso ogni ragione. Questo perché la formazione critica è lì esattamente per dire alla formazione professionale di ripensare la sua relazione con il suo opposto – con il quale la formazione critica intende sia sé stessa che il non regolamentato, contro il quale si schiera la formazione professionale. In altre parole, la formazione critica sopravviene per appoggiare qualsiasi negligenza esitante, per essere vigile nella sua negligenza, per essere criticamente coinvolta nella sua negligenza. È più di un'alleata della formazione professionale, è il suo tentato compimento.

La formazione professionale è diventata una formazione critica. Ma non si dovrebbe acclamare questo fatto. Dovrebbe essere preso per quello che è: non progresso nelle scuole professionali, non una coabitazione con l'*Universitas*, ma controinsurrezione, il terrorismo rifondante della legge che arriva per coloro che hanno perso credito, coloro che si rifiutano di scrivere contro o riscrivere gli undercommons.

L'*Universitas* è sempre una strategia di stato/Stato. Forse sorprenderebbe affermare che la professionalizzazione – quello che riproduce le professioni – sia una strategia di stato. Di certo oggi i critici accademici professionisti tendono a essere considerati come intellettuali inoffensivi, plasmabili, forse capaci di qualche piccolo intervento nella cosiddetta sfera pubblica. Ma per capire come questo indebolisca la presenza dello stato, possiamo rivolgerci a una cattiva lettura della riflessione di Derrida sul rapporto scritto da Hegel, nel 1822, all'allora ministro dell'Istruzione prussiano. Derrida si sofferma sul modo in cui Hegel rivaleggia con lo stato nella sua ambizione all'istruzione, volendo mettere a punto una pedagogia progressista della filosofia, progettata per sostenere la sua visione del mondo, dispiegata come enciclopedica. Tale ambizione rispecchia l'ambizione dello stato, perché anch'esso vuole controllare l'istruzione e imporre una visione del mondo, e allo stesso tempo la compromette, poiché lo Stato di Hegel eccede, e quindi localizza, lo stato prussiano mostrandone le pretese di sapere enciclopedico. Derrida trae dalla sua lettura la seguente lezione: l'*Universitas*, che egli generalizza come università (anche se la specifica come propriamente intellettuale e non professionale), ha sempre l'impulso dello Stato, o dell'illuminismo, così come l'impulso dello stato o delle sue specifiche condizioni di produzione e riproduzione.

Entrambi hanno l'ambizione di essere – continua Derrida – onto- e auto-enciclopedici. Di conseguenza, sia essere per l'*Universitas* che contro di essa presenta dei problemi. Essere per l'*Universitas* significa sostenere questo progetto onto- e auto-enciclopedico dello Stato di tipo illuminista, o dell'illuminismo come totalità, per usare una parola ormai datata. Tuttavia, essere eccessivamente contro l'*Universitas* crea il pericolo che specifici elementi nello stato prendano provvedimenti affinché si liberi dalla contraddizione del progetto onto- e auto- enciclopedico dell'*Universitas*, per rimpiazzare quest'ultimo con qualche forma di riproduzione sociale, l'antilluminismo – la posizione presa, ad esempio, dal nuovo partito laburista in Gran Bretagna e dagli stati di New York e della California con le loro «istituzioni didattiche». Ma una cattiva lettura di Derrida lascerà la parola, ancora una volta, alla nostra domanda: cosa si perde in questa indecidibilità? Qual è il prezzo del rifiutare di essere sia per l'*Universitas* che per la professionalizzazione, di essere critiche di entrambe? Chi paga questo prezzo? Chi rende possibile raggiungere l'aporia di questa lettura? Chi lavora nell'eccesso prematuro della totalità, nel non ancora non predisposto della negligenza?

Il modo della professionalizzazione tipico dell'università statunitense è volto precisamente a promuovere questa scelta consensuale: una critica antifondazionalista dell'Università o una critica fondazionalista dell'università. Prese come decisioni, o coperte come scommesse, l'una temperata dall'altra, sono pur sempre negligenti. La professionalizzazione è costruita su questa scelta. Si svela nell'etica e nell'efficienza, nella responsabilità e nella scienza, e in altre innumerevoli scelte tutte costruite sul furto, la conquista, la negligenza di quella reietta intellettualità di massa degli undercommons.

È pertanto poco saggio pensare alla professionalizzazione come un restringimento e sarebbe meglio pensarla come un cerchio di carri armati che circonda l'ultimo accampamento di donne e bambine indigene. Si pensi, ad esempio, al modo in cui il medico o l'avvocato statunitense si considera colto, racchiuso nel circolo dell'enciclopedia statale, nonostante, molto probabilmente, non sappia nulla di filosofia o di storia. Cosa ci sarebbe al di fuori di questo atto del cerchio di conquista? Che tipo di mondo spettrale ed elaborato sfuggirebbe a tale atto di accerchiamento – un atto che figura come una sorta di fenomenologia rotta, dove le parentesi non vengono mai meno e dove quello che è esperito come conoscenza è l'assoluto orizzonte della conoscenza, il cui nome è bandito dall'esilio dell'assoluto? È semplicemente un orizzonte a cui non importa rendersi possibile. Non sorprende che, qualsiasi siano le loro origini e possibilità, sono proprio le teorie del pragmatismo negli Stati Uniti e il realismo critico in Gran Bretagna a pretendere la lealtà degli intellettuali critici. Non essendosi mai confrontati con la fondazione né con l'antifondazione per fede nella fondazione inconfrontabile, gli intellettuali critici fluttuano nell'intermezzo. Quelle lealtà mettono al bando la dialettica con i suoi sconvenienti interessi a spingere il materiale e l'astratto, la cattedra e il suo cervello, il più lontano possibile: un comportamento non proprio professionale nel modo più ovvio.

## LA PROFESSIONALIZZAZIONE
## È LA PRIVATIZZAZIONE DELL'INDIVIDUO
## SOCIALE ATTRAVERSO LA NEGLIGENZA

Sicuramente la professionalizzazione porta con sé i bene-fici della competenza. Potrebbe essere il circolo onto- e auto-enciclopedico dell'università proprio dello stato americano, ma non sarebbe possibile recuperare qual-cosa da questa conoscenza per dei progressi pratici? Oppure, dobbiamo veramente credere che non è possi-bile intraprendere progetti critici sul suo terreno conosci-tivo, progetti che potrebbero rivolgere le sue competenze verso fini più radicali? No, diremmo che non è possibile. E dicendo ciò, ci prepariamo a separarci dagli accade-mici critici statunitensi, a diventare inattendibili, a essere sleali verso la sfera pubblica, a essere ostruzionisti, inette, stolti, e a presentarci con insolenza di fronte alla chia-mata al pensiero critico.

Ad esempio, agiamo in modo sleale nei confronti del campo della pubblica amministrazione e, specialmente, dei master di pubblica amministrazione che includono anche programmi affini in salute pubblica, management ambientale, economia e gestione dell'impresa non profit e delle arti, e l'ampia offerta di corsi sui servizi sociali, così come di certificati, diplomi e lauree che sorreggono questo raggruppamento disciplinare. È difficile non avere la percezione che questi programmi esistano contro sé stessi, che si auto-disprezzino. (Seppure in un secondo momento si comprende che, come accade in tutte le professionalizzazioni, è la sottintesa negligenza che sconvolge la superficie del potere lavorativo). La lezione media della scuola di specializzazione di servizio pubblico Robert F. Wagner all'Università di New York, per esempio, può essere più antistatalista, più scettica verso il governo e più modesta nei suoi obiettivi di politiche sociali, rispetto alla lezione media del dipartimento di economia, dichiaratamente neoclassico, o dei dipartimenti di scienze politiche della nuova destra di questa stessa università. La situazione non sarebbe dopotutto diversa per l'Università di Syracuse, o per un'altra dozzina di prominenti scuole di pubblica amministrazione. Si potrebbe dire che lo scetticismo è una parte importante dell'istruzione universitaria, ma questo particolare tipo di scetticismo non si fonda su uno studio attento dell'oggetto in questione. Infatti, negli Stati Uniti non esiste una teoria dello stato nei programmi di pubblica amministrazione. Lo stato è invece visto come il proverbiale demone che conosciamo. E se nella pubblica amministrazione è percepito come il nemico necessario, o come un bene che è, tuttavia, di utilità e disponibilità limitate, rimane sempre e completamente conoscibile come un oggetto. Per questo motivo, il problema non è tanto che questi programmi sono stati configurati contro sé stessi, ma contro alcune studentesse e, in particolare, contro chi arriva all'amministrazione pubblica con un senso di quello che Derrida ha chiamato un dovere oltre il dovere, o una passione.

Essere scettici verso ciò che già si conosce è chiaramente una posizione assurda. Se lo si è verso un oggetto, allora si è già nella posizione di non conoscere quell'oggetto, e se si reclama di conoscere tale oggetto, non si può al contempo reclamare di essere scettici a riguardo, che equivale a esserlo della propria affermazione. Ma proprio questa è la posizione della professionalizzazione, ed è questa posizione che affronta, sebbene accada raramente, quella studentessa che si presenta alla pubblica amministrazione con una passione. Ogni tentativo di passione, di sottrarsi allo scetticismo del conosciuto per entrare in un confronto inopportuno con quello che lo eccede e si eccede, deve essere soppresso da questa professionalizzazione. Non si tratta semplicemente di amministrare il mondo, ma di amministrare via il mondo (e la profezia che l'accompagna). Ogni altra disposizione non solo è poco professionale, ma anche incompetente, non etica, irresponsabile e ai limiti del criminale. Ancora una volta, la disciplina della pubblica amministrazione è particolarmente, anche se non unicamente, istruttiva sia nella sua pedagogia che nel suo sapere, e offre l'occasione per diventare sleale, per frantumare e afferrare tutto quello che racchiude.

L'amministrazione pubblica si attiene all'idea, che circola tanto nelle sale conferenze quanto nelle riviste professionali, secondo cui le sue categorie sono conoscibili. Lo stato, l'economia e la società civile possono cambiare dimensione o forma, il lavoro può entrare o uscire e l'attenzione all'etica può cambiare, ma questi oggetti sono sia positivisti che normativi e si reggono secondo una disposizione spaziale discreta, l'uno verso l'altro. La professionalizzazione comincia con l'accettare queste categorie proprio affinché la competenza possa essere invocata; una competenza che a un tempo protegge la sua stessa fondazione (come Michael Dukakis che se ne va in giro

in un carro armato pattugliando in modo fantasmago-
rico il suo desolato vicinato). Questa responsabilità per la
preservazione degli oggetti diventa esattamente quell'etica
weberiana sito-specifica che ha l'effetto, come ha riconosciuto Theodor Adorno, di naturalizzare la produzione di
siti capitalisti. Metterli in discussione diventa, dunque,
non solo incompetente e non etico, ma anche l'attuazione
di una violazione della sicurezza.

Ad esempio, se si volesse esplorare la possibilità di
definire al meglio la pubblica amministrazione come
il lavoro dell'implacabile privatizzazione della società
capitalista, si otterrebbero innumerevoli visioni poco
professionali. Ciò potrebbe aiutare a spiegare l'inade-
guatezza delle tre principali tematiche nello studio sulla
pubblica amministrazione negli Stati Uniti. La tematica dell'*ethos* pubblico rappresentata da progetti quali
la rifondazione della pubblica amministrazione e la
rivista "Administration and Society"; la tematica della
competenza pubblica rappresentata nel dibattito tra la
pubblica amministrazione e la nuova gestione pubblica
insieme alla rivista "Public Administration Review"; e
la tematica critica rappresentata da Pat-Net (Network
della teoria dell'amministrazione pubblica) e la sua
rivista "Administrative Theory & Praxis". Se la pubblica
amministrazione si presenta come la competenza che
deve confrontarsi con la socializzazione vomitata continuamente dal capitalismo e prendere il più possibile da
questa socializzazione, per ridurla o in qualcosa chiamato pubblico o in qualcosa chiamato privato, allora le
tre tematiche diventano immediatamente non valide.

Non è possibile parlare di un lavoro votato alla riproduzione dello spossessamento sociale come di un lavoro
che abbia una dimensione etica. Non è possibile deci-
dere l'efficienza o lo scopo di un lavoro del genere, dopo
l'impegno profuso in questa operazione, prendendolo in
considerazione una volta che abbia riprodotto qualcosa
chiamato pubblico o qualcosa chiamato privato. E non
è possibile essere critici e, allo stesso tempo, accettare
acriticamente il fondamento del pensiero amministrati-
vista pubblico in queste sfere del pubblico e del privato,
così come non è possibile negare il lavoro che continua
alle spalle di queste categorie, ad esempio, negli undercommons della repubblica delle donne che mandano
avanti Brooklyn.

Ma questo è un esempio poco professionale. Preserva,
infatti, le norme e rispetta i termini del dibattito, così
come entra nella comunità linguistica, conoscendo
e prendendo dimora nei suoi (inavvicinabili) oggetti
fondazionali. È anche un esempio incompetente. Non
si lascia misurare, applicare, migliorare, se non fosse
che permette, invece, che lo si trovi manchevole. Ed è
un esempio non etico. Suggerire il dominio completo di
una categoria su un'altra – non è forse questo fascismo o
comunismo? Infine, è un esempio appassionato, pieno di
profezia e non di prova, un cattivo esempio di un'argomentazione debole che non tenta minimamente di difendere sé stessa, affidata a qualche sorta di sacrificio della
comunità professionale che emana dagli undercommons.
È questa l'opinione negligente di chi studia l'amministrazione pubblica professionale.

Qual è, inoltre, il legame tra questa professionalizzazione in qualità di onto- e auto-enciclopedia dello stato americano e la diffusione della professionalizzazione oltre l'università, o forse la diffusione dell'università oltre l'università e con le colonie degli undercommons? Una certa rivolta nella quale la professionalizzazione s'imbatte – quando la cura del sociale deve confrontarsi con la sua reazione, la negligenza imposta – ebbene, una certa rivolta scoppia e il professionalismo appare assurdo, come un botteghino di reclutamento in una festa di carnevale, e i servizi professionali generali e quelli personali diventano professionisti per permettersi di pagare l'università. È in questo momento di ribellione che la professionalizzazione mostra la sua disperata impresa, nulla di meno del convertire l'individuo sociale. O forse è qualcosa di più, l'obiettivo finale della controinsurrezione ovunque: trasformare gli insorti in agenti statali.

## GLI ACCADEMICI CRITICI SONO
## I PROFESSIONISTI PER ECCELLENZA

L'accademico critico interroga l'università, interroga lo stato, interroga l'arte, la politica e la cultura. Ma negli undercommons «non si fanno domande». Sono incondizionati – le loro porte si spalancano per dare rifugio, anche se potrebbero far entrare agenti di polizia e di distruzione. Le domande sono superflue negli undercommons. Se non si sa, perché chiedere? L'unica domanda che rimane in superficie è: cosa può significare fare critica quando il professionista si autodefinisce come colei o colui che pratica la critica alla negligenza, se questa delimita la professionalizzazione?

Essere critico dell'università non farebbe forse di te il professionista per eccellenza, più negligente di qualsiasi altro professionista? Distinguersi professionalmente attraverso la critica: non è forse questo il più vitale consenso alla privatizzazione dell'individuo sociale? Gli undercommons, al contrario, potrebbero essere considerati come diffidenti nei confronti della critica, diffidenti nei loro stessi confronti e, al contempo, potrebbero apparire come devoti alla collettività del loro futuro, la collettività che potrebbe rivelarsi come il loro futuro. Gli undercommons, in qualche modo, tentano di sfuggire alla critica e alla sua degradazione a università-coscienza, ad autocoscienza sull'università-coscienza, ritirandosi, come afferma Adrian Piper, dentro il mondo esterno.

Se questa comunità *maroon* esiste, allora cerca anche di rifuggire dal *fiat* dei fini dell'uomo. L'esercito sovrano dell'anti-umanesimo accademico perseguirà questa comunità negativa negli undercommons, e cercherà di arruolarla, avrà necessità di farlo. Ma per quanto questa critica possa essere seducente, per quanto possa essere provocata, negli undercommons si sa che essa non è amore. Tra il *fiat* dei fini dell'uomo e l'etica di uno nuovo inizio gli undercommons persistono, e c'è chi trova conforto in questo. Conforto per le emigranti provenienti dall'arruolamento, perché non sono pronte per l'umanità e devono, nonostante tutto, sopportare il ritorno dell'umanità, come potrebbe essere sopportato da chi lo sopporterà o dovrà farlo, e sicuramente com'è sopportato da quella degli undercommons, sempre in rotta, sempre supplemento dell'*intelletto generale* e sua fonte.

Quando l'accademico critico che vive mediante il *fiat* (d'altri) non riceve alcuna risposta, alcun incarico dagli undercommons, beh è sicuramente in quel momento che la conclusione verrà tratta: essi sono incapaci, non seri nei confronti del cambiamento, non rigorosi, improduttivi.

Nel frattempo, quell'accademico critico mette in discussione l'università nell'università stessa e nel circolo dello stato americano. Reclama di essere critico della negligenza dell'università. Eppure, non è proprio lui il professionista più affermato nella sua studiata negligenza? Se il lavoro sul lavoro, il lavoro tra il lavoro dei non professionisti nell'università è la scintilla che fa scoppiare la rivolta, la ritirata, la liberazione, il lavoro dell'accademico critico non implica, allora, una parodia di questo primo lavoro, una performance che, nella sua mancanza d'interesse per ciò che ridicolizza, è alla fine negligente? La messa in discussione dell'accademico critico non diventa forse una pacificazione? O, per dirla senza pretese, il critico accademico non insegna forse come negare esattamente quello che si produce con le altre? E non è forse questa la lezione che le professioni restituiscono all'università per imparare ancora e ancora? Il critico accademico non è, dunque, dedito a quello che Michael E. Brown ha denominato come impoverimento, immiserimento delle prospettive cooperative della società? Questo è il corso professionale d'azione. Questa farsa di tipo illuminista è interamente negligente nella sua critica, una negligenza che disconosce la possibilità di un pensiero di un fuori, un non luogo chiamato undercommons –

il non luogo che deve essere pensato fuori per essere percepito dentro, il non luogo da cui la farsa di tipo illuminista ha rubato ogni cosa per il suo gioco.

Ma se l'accademico critico è semplicemente un professionista, perché perdere così tanto tempo con lui? Perché non rubare semplicemente i suoi libri, un mattino, e donarli a quelle studentesse non immatricolate e rinchiuse in un bar studentesco, stipato e fetido di birra – dove ha luogo il seminario su come squattare e scroccare? Eppure, dobbiamo parlare di questi accademici critici, perché si è scoperto che la negligenza è un grave crimine di stato.

## L'INCARCERAZIONE È LA PRIVATIZZAZIONE DELL'INDIVIDUO SOCIALE ATTRAVERSO LA GUERRA

Se si dovesse insistere, l'opposto della professionalizzazione è quell'impulso fuggitivo ad affidarsi agli undercommons per protezione, a contare sull'onore e insistere sull'onore della comunità fuggitiva; se si dovesse insistere, l'opposto della professionalizzazione è quell'impulso criminale a rubare dalle professioni, dall'università, senza né scuse né malizia alcune, rubare l'illuminismo per le altre, rubar(si) al suono di un certo blues, con un certo ottimismo tragico, per dileguarsi con l'intellettualità di massa; se si facesse ciò, non sarebbe questo un porre la criminalità e la negligenza l'una contro l'altra? Non si porrebbe la professionalizzazione, non si porrebbe l'università contro l'onore? E cosa potrebbe dirsi allora della criminalità?

Forse, allora, bisogna dire che lo spacciatore di crack, la terrorista e il prigioniero politico condividono un impegno alla guerra, e che la società risponde a tono con le guerre al crimine, al terrore, alle droghe, al comunismo. Ma «questa guerra all'impegno alla guerra» si batte come una guerra contro la massa asociale, ovvero contro coloro che vivono «senza interesse per la socialità». E tuttavia, non può essere così. Dopotutto, è la professionalizzazione stessa a essere devota alla massa asociale, è l'università stessa che riproduce la conoscenza sul modo in cui trascurare la socialità, proprio nel suo interesse per ciò che chiama asocialità. No, questa guerra contro l'impegno alla guerra risponde a questo impegno alla guerra come minaccia, quale è d'altronde – non una mera negligenza o una distruzione noncurante, ma un impegno contro l'idea della società stessa, ovvero, contro quello che Foucault aveva chiamato *la conquista*, la guerra non detta che ha fondato e che, con la forza della legge, rifonda la società. Non asociale ma contro il sociale: questo è l'impegno alla guerra, e questo è ciò che disturba e allo stesso tempo forma gli undercommons contro l'università.

Non è questo il modo per capire l'incarcerazione negli Stati Uniti oggi? E dopo che lo abbiamo capito, non possiamo dire che è esattamente la paura che il criminale insorgerà per sfidare la negligenza, nel contesto dello stato americano e del suo circolo *Universitas* particolarmente violento, a concentrarsi sempre sulla negazione della conquista?

## L'UNIVERSITÀ È IL LUOGO
## DELLA RIPRODUZIONE SOCIALE
## DELLA NEGAZIONE DELLA CONQUISTA

Qui si giunge faccia a faccia con le radici dell'impegno critico e professionale alla negligenza, fino alle profondità dell'impulso a negare il pensiero di un fuori interno tra gli intellettuali critici, e la necessità, per i professionisti, di mettere in discussione senza chiedere. Qualsiasi altra cosa facciano, gli intellettuali critici che hanno trovato spazio nell'università stanno da sempre performando la negazione della società nuova quando negano gli under-commons, quando trovano quello spazio sulla superficie dell'università, e quando si uniscono alla negazione della conquista migliorando quello spazio. Prima di criticare l'estetica e l'Estetica, lo stato e lo Stato, la storia e la Storia, hanno già praticato l'operazione del negare quello che rende queste categorie possibili nel sottolavoro del loro essere sociali in qualità di accademici critici.

Pertanto, lo slogan della Sinistra «università, non carceri» segna una scelta che non potrebbe essere possibile. Forse, in altre parole, più università promuovono più carceri. Forse, alla fine, è necessario capire che l'università produce l'incarcerazione come il prodotto della sua negligenza. Forse, esiste un'altra relazione tra l'Università e il Carcere – oltre alla semplice opposizione o alla somiglianza di famiglia – che gli undercommons mettono da parte come l'oggetto e l'abitazione di un altro abolizionismo. Quello che potrebbe apparire come la professionalizzazione dell'università statunitense, il nostro punto di partenza, potrebbe ora essere meglio compreso come una certa intensificazione di metodo nella *Universitas*, un restringimento del circolo. La professionalizzazione non può prendere il controllo dell'università statunitense – è l'approccio critico dell'università, la sua *Universitas*. E dunque, sembra che questo stato, con la sua peculiare e violenta egemonia, debba negare quello che Foucault definiva nelle sue lezioni del 1975-76 come la guerra delle razze.

La guerra all'impegno alla guerra schiude violentemente la memoria della conquista. Anche la nuova corrente di studi americani dovrebbe farlo, se non vuole semplicemente essere la storia delle persone appartenenti alla stessa nazione, ma un movimento contro la possibilità di «una» nazione, o di qualsiasi altra; non solo proprietà giustamente distribuita sul confine, ma proprietà sconosciuta. E ci sono altri spazi situati tra l'*Universitas* e gli undercommons, spazi che sono caratterizzati proprio dal non avere spazio. Ecco spiegato l'attacco ai *black studies* da parte di tutti, da William Bennet a Henry Louis Gates Jr., e la proliferazione negli undercommons di Centri senza affiliazione alla memoria della conquista, alla sua custodia vivente, alla protezione del suo onore e alle nottate di lavoro.

L'università, allora, non è l'opposto del carcere, dal momento che entrambi sono coinvolti, a loro modo, nella riduzione e nel controllo dell'individuo sociale. Date le circostanze, infatti, si deve concludere che «più università e meno carceri» significherebbe che la memoria della guerra sia stata ulteriormente persa e che il lavoro vivo, indomito e conquistato sia stato abbandonato al suo triste fato. Al contrario, gli undercommons considerano il carcere come un segreto sulla conquista, ma un segreto, come sostiene Sara Ahmed, la cui crescente segretezza è il suo potere, la sua abilità di mantenere una distanza tra il segreto stesso e la sua rivelazione, un segreto che chiama in essere il profetico, un segreto (man)tenuto in comune, organizzato come segreto, che chiama all'esistenza l'organizzazione profetica.

## GLI UNDERCOMMONS DELL'UNIVERSITÀ SONO UN NON LUOGO DELL'ABOLIZIONE

Ruth Wilson Gilmore: «Il razzismo è la produzione sancita dallo stato e/o extra-legale e lo sfruttamento delle vulnerabilità, differenziate per gruppo, alla morte prematura (sociale, civile e/o corporea)». Qual è la differenza tra questo e la schiavitù? Qual è, per intenderci, l'oggetto dell'abolizione? Non così tanto l'abolizione delle carceri, ma l'abolizione di una società che potrebbe avere le carceri, che potrebbe avere la schiavitù, che potrebbe avere il salario, e pertanto abolizione non come eliminazione di qualcosa, ma abolizione come fondazione di una nuova società. L'oggetto dell'abolizione avrebbe dunque una somiglianza con il comunismo che sarebbe, per ritornare a Spivak, perturbante. Il perturbante che disturba il critico, che va avanti al di sopra di esso, il professionista che va avanti senza di esso; il perturbante che si può percepire nella profezia, il momento stranamente conosciuto, il tono raccolto di una cadenza;

e il perturbante che si può sentire nella cooperazione, quel segreto un tempo chiamato solidarietà. Quella sensazione perturbante con cui ci ritroviamo è che c'è qualcos'altro, là, negli undercommons. È l'organizzazione profetica che lavora per l'abolizione rossa e nera!

# Nerezza e governance

# 1.

Esiste una pulsione anoriginaria la cui fatidica differenza interna (al contrario di una falla fatale) consiste nel dare vita alla regolamentazione, all'interno di una storia irregolarmente costellata dalle trasformazioni che la stessa pulsione impone sulla regolamentazione. Queste imposizioni trasformative ci appaiono oggi come compensazione e plusvalore: come il pagamento di un enorme e incalcolabile debito da parte di coloro che non l'hanno nemmeno mai promesso; e come l'enorme e incalcolabile varietà di vite lavorate, o come «la cosa realizzata nelle cose... l'universalità dei bisogni, delle capacità, dei godimenti, delle forze produttive ecc. degli individui, generata nello scambio universale» che Marx aveva chiamato ricchezza. La pulsione anoriginaria e le insistenze che essa pone in essere e attraverso le quali si muove; questa sorta di criminalità che riaccende la legge, così come l'incontrollabile terreno anarchico di un debito impagabile e di una ricchezza indicibile; il fugale teatro interiore del mondo che appare per un minuto in serie – povero eppure stravagante, opposto a frugale: tutto questo è nerezza, da intendersi nella sua differenza ontologica dalla popolazione nera che, tuttavia, è (s)vantaggiata a condizione che (si) possa offrire (al)la sua comprensione.

# 2.

Si consideri la seguente affermazione: «Non c'è nulla di sbagliato nella nerezza». Cosa succederebbe se questo fosse l'assioma primitivo di una nuova corrente dei *black studies* non derivante dalla patologia psico-politica dei popoli e dalla sua corollaria teorizzazione dello Stato o del razzismo di stato? Un assioma che, come tutti gli assiomi, trae origine dall'incomprensione delle «lingue fuggitive» e dall'espressività delle volgarità criptate in opere e giorni, che risultano appartenere all'indigena o alla schiava solo nella misura in cui la condizione fuggitiva sia misconosciuta, e nelle nude vite, che si rivelano nude solo nella misura in cui nessuna attenzione è loro rivolta, solo se, in quanto tali, persistono sotto il segno e il peso di una domanda chiusa?

# 3.

L'estetica nera mette in moto un'interminabile dialettica di rifiuto e acconsentimento – l'abbondanza e la mancanza spingono la tecnica al limite estremo del rifiuto al punto che il problema con la bellezza, che è proprio l'animazione e l'emanazione dell'arte, è compromesso sempre e ovunque, ancora e ancora. Una nuova tecnica, una nuova bellezza. Al tempo stesso, l'estetica nera non riguarda la tecnica e non è essa stessa tecnica, nonostante un elemento fondamentale del mancato riconoscimento an-estetico, mosso da terrore, della «nostra terribilità», sia l'eclettico campionamento delle tecniche proprie della performatività nera, nell'interesse della dichiarazione –

una dichiarazione che non si fa alcun problema ad ammettere il suo intento espropriativo – di una differenza, una complessità e una sintassi interna che è stata, sempre e ovunque, così evidente da rendere la dichiarazione stessa una specie di superfluità auto-referenziale e auto-scagionatoria. Questa dichiarazione equivale a un tentativo di confutare quelle accuse di semplicità atomica della nerezza che non sono mai state abbastanza serie da confutare (poiché erano rese in modo non falsificabile, senza prove, attraverso motivazioni sragionevoli, sebbene interamente razionalizzate, in cattiva fede e nel torpore del sonno dogmatico).

# 4.

La destituzione di ogni possibile affermazione rispetto all'essenza o perfino all'essere della nerezza (*nella sua irriducibile performatività*) diventa, essa stessa, la destituzione della nerezza. Le tecniche della differenza o della differenziazione sono fatte per giustificare e prendere il posto di un'assenza. Gli appelli a favore della differenza interna sono fatti al fine di impedire l'istanziazione. L'astrazione del o dal referente è considerata come equivalente alla sua inesistenza. Le tecniche della performance nera – nella loro palese differenza, l'una dall'altra, nella complessa gamma della loro trasferibilità e nel loro posizionarsi all'interno di una storia che è strutturata, ma non determinata, dall'imposizione – costituiscono la «prova» che la nerezza non è, o è persa, o è perdita. Al riguardo, sia l'astrazione che la performatività sono pensate per farsi carico di una parte dello stesso peso, laddove la confutazione delle affermazioni sull'autenticità o sull'unità della nerezza diventa la confutazione della nerezza in quanto tale. Questo appello alla tecnica è esso stesso una tecnica di governance. Nel mentre, nerezza significa rendere impossibile rispondere alla domanda su come governare la cosa che si perde e che si ritrova a essere quello che non è.

# 5.

L'estetica nera non si muove nell'interesse di qualche opposizione semplicistica o complessa tra *Technik* ed *Eigentlichkeit*, ma piuttosto nell'improvvisazione per mezzo della loro opposizione. Qual è il contenuto della (tua) tecnica (nera)? Qual è l'essenza della (tua) performance (nera)? Un imperativo è qui implicito: porre attenzione alle performance (nere), dal momento che spetta a coloro che vi prestano una tale attenzione teorizzare di nuovo l'essenza, la rappresentazione, l'astrazione, la performance e l'essere.

# 6.

Il disconoscimento è una tendenza inerente alla tradizione radicale nera, una sorta d'inevitabilità che da un lato emerge dalla forza patologicamente autocritica di un (tipo precursore di) illuminismo più genuino, e dall'altro dai desideri più elementari – che non vuol dire altro che sono essi stessi basici – che animano *l'ideologia dell'elevazione razziale*. La logica correttiva è il fuggitivo della strumentalità politica, nonostante questa fuggitività furtiva abbia un margine doppio e auto-consumista: la pulsione patologica del patologo e la fine dell'antirazzismo antiessenzialista, senza la necessaria riformulazione di nuove rotte. Tale strumentalità può presto inasprirsi o può scoprirsi essere nell'interesse dell'impero (artisti contro l'arte per l'oro, ogni sorta di contraffazione prefabbricata – di provenienze preconfezionate – di una certa intellettualità di New York, di uno stato mentale e una mente statale, che sono anche la mente degli Stati Uniti dell'Eccezione; repliche dei poco originali gangster del Secolo Americano, i quali hanno rubato l'arte moderna da coloro che, furtivamente, si sono portati via come arte moderna le cose emotive, variopinte, scultoree, animate e teatrali).

# 7.

Eppure, la nerezza ha ancora molto da fare: riscoprire le nuove rotte insite nell'opera d'arte: nell'anacoreografico gesto del ricomporre una spalla; nelle pacate estremità che animano tutta una serie di cromatismi sociali; e, soprattutto, nei mutamenti che guidano la parola muta, difficilmente elaborata e musicata, mentre si muove tra un'incapacità di enunciazione auto-generata ragionata o di senso compiuto, che è da un lato supposta e dall'altro imposta, e una critica predisposizione a portar(si) via, furtivamente. In questi mutamenti, che sono sempre anche una forma di rigenderazione o transgenderazione (come nel falsetto errante di Al Green o nella voce grave di Big Maybelle – nient'altro che un semplice ruggito), e tra quell'improprietà di linguaggio che si avvicina all'animalità e una tendenza verso l'espropriazione che si approssima alla criminalità, giace la nerezza, giace la cosa nera che interrompe la forza normativa e dominante di (della) conoscenza (e perfino di quelle nozioni di nerezza alle quali la gente nera è incline, giacché la fuggitività furtiva scappa anche da chi fugge).

# 8.

Il lavoro della nerezza è inseparabile dalla violenza della nerezza. La violenza è laddove la tecnica e la bellezza ritornano, nonostante non se ne siano mai andate. Si consideri la tecnica come una sorta di motivo musicale, in particolare, come un qualcosa che, al contempo, interrompe le altre tecniche e vi è incorporato – la (fanoniana in quanto apposta alla artudiana) crudeltà. La differenza interna della nerezza è una nuova rotta violenta e crudele, attraverso e al di fuori della critica, basata sulla nozione offertami, parlo almeno per me, da Martin Luther Kilson Jr., secondo la quale *non c'è nulla di sbagliato in noi* (proprio nella misura in cui c'è qualcosa di sbagliato, qualcosa che non va, qualcosa che vive in noi in modo fuggitivo, furtivo e ingovernabile che è costantemente scambiato per il patogeno che istanzia). Quest'idea si manifesta principalmente in quei lunghi *slow motion* – ovvero in quella serie di deviazioni tragicamente piacevoli – dell'immediato (dell'improvvisazione, che non è qualcos'altro ma quasi nient'altro che spontaneità), un cambio di rotta che rifugge il rivoltarsi contro o verso sé stesso. L'apposizione tra crudeltà fanoniana e artudiana è un'itineranza che getta un ponte tra la vita e la nerezza. La loro relazionalità è costituita da un movimento verso e contro la morte, verso e contro le sue prematurazioni specifiche e generali, e da una volontà di violare la legge che si chiama all'esistenza. Ma qual è la relazione tra disposizione e propensione? E qual è la differenza tra fuga furtiva e fatalità? Quali le politiche dell'essere vite pronte a morire, e cosa hanno a che fare con lo scandalo del godimento? Cos'è una morte prematura? Che scambio sussegue tra quello che Jacques Lacan identifica come la specifica prematurazione della nascita nell'uomo e quello che Hussein Abdilahi Bulhan identifica come la specifica (irriducibile minaccia della) prematurazione della morte nella nerezza?

# 9.

Rivolgere tali domande richiede un qualche tentativo di scoprire come la nerezza operi nella modalità della costante evasione e perdita della vita e prenda la forma, la rotta catturata ed errante, della fuga. Abbiamo, così, cercato di capire come i beni comuni interrompano il senso comune – la contabilità amministrativa necessariamente fallita dell'incalcolabile – che è l'obiettivo e l'oggetto dell'autocontrollo illuminista; abbiamo cercato di stare con quella sensualità sottocomune, quell'altrove occupato radicale, quel sottoterreno comune e utopico di questa distopia, quel fottuto funk del qui e ora di questa particolarità anacentrica che occupiamo e di cui ci preoccupiamo. Dev'essere che esplorando il lato nascosto del mercato nero di questa costante economia del misconoscimento, questo conoscimento della miseria, sarà possibile scoprire i piaceri informali, formativi, dell'economia dei contenuti: perché siamo innamoratə del modo in cui il ritmo di questo circuito deittico che ha le sembianze di un bassofondo di periferia perde il controllo; di come la musica che anima l'evento, piena di colore, ingrandisca e faccia esplodere l'orizzonte dell'evento; di come le onde sonore di questo buco nero si portino dietro istantanee gustose da toccare; di come l'unico modo per coglierle sia sentirle. Questa informazione non potrà mai essere persa, solo e irrevocabilmente data in transito. Non potremmo mai offrire tutta una serie di fluide transizioni per quest'ordine di tentativi di fuga, questo aprire varchi nascosti. Esiste solo una serialità aperta di terminali senza alcuna trascrizione. Ci sono persone che vogliono gestire le cose, e ci sono cose che vogliono scappare. Se te lo chiedono, digli che stavamo volando. La conoscenza della libertà è (nel) l'invenzione dell'evasione, del dileguarsi furtivamente nei confini, e nella forma, di un intervallo, una rottura, una fuga. Questo è custodito, stretto, nel canto libero di coloro che dovrebbero essere silenti.

# 10.

A chi ci riferiamo quando diciamo «non c'è nulla di sbagliato in noi»? Alla gente grassa. A coloro che sono fuori luogo, sebbene siano esattamente localizzatə. A chi non è cosciente quando ascolta Les McCann. Agli Urlatori[6] che con insolenza non dicono molto. A chi va in chiesa e dà valore all'indecenza. A chi riesce a evadere l'autogestione nella recinzione. A chi senza interesse porta

---

6   Riferimento a *Screamers,* racconto breve di Amiri Baraka (LeRoy Jones), contenuto nella raccolta *Tales* (Grove Press, 1967).

con sé il rumore ammutolito e la grammatica mutante del nuovo interesse generale, rifiutando. Il nuovo intelletto generale che estende la lunga linea extra-genetica dell'obbligo extra-moralistico di disturbare ed eludere l'intelligenza. Ai nostri cugini. A tutte le nostre amiche.

# 11.

Il nuovo intelletto generale è ricco. La nuova regolamentazione vuole ridarti quello che hai ottenuto, pubblicamente, vale a dire in parte, quello che può essere soltanto dovuto. Questa regolamentazione si chiama governance. Non si tratta di governamentalità o di una governance spirituale. Dev'essere descritta nella sua iscrizione in quella criminalità che raddoppia in quanto debito, ovvero che raddoppia il debito stesso, che si attorciglia nell'iscrizione, che si ritorce contro.

Nikolas Rose ha sbagliato: la governance non ha niente a che vedere con il governo, e Foucault aveva forse ragione. Ma come avrebbe potuto saperlo se non fu in grado di rintracciare le priorità di ciò che sapeva del Nord Africa? La governance è l'astuzia dell'ufficiale coloniale, la donna della Cia, l'uomo delle Ong. Adesso che noi tutta conosciamo la governamentalità così bene, faremo parte del suo gioco? Possiamo leggerla come un libro aperto. Non succede niente alle spalle del nuovo cinismo (tuttavia, bisogna ricordare a Paolo Virno che tutto quello che succedeva oltre il cinismo, tutto quello che era sempre senza casa e rifugio, era sempre in netta minoranza e con meno armi). Staremo al gioco della religione, della *white trash*,[7] o a quello dello sviluppo, del marxismo? Quando Gayatri Spivak si rifiuta di ridere, le viene detto che è come se volesse negare il cappuccino agli operai. Lei non cede e non ride, in rifiuto a un falso gioco e in opposizione all'*insider trading* del dominio, lei resiste in rifiuto a un falso gioco e in opposizione alla coercizione che sfrutta tutto ciò che non riesce a ridurre a un semplice invito alla governance.

Eppure, gli inviti arrivano e si manifestano attraverso il sorrisetto compiaciuto della governamentalità per tutti, o sul ciglio aggrottato e serio della democratizzazione. Critica e policy. Non stupisce che Rose pensasse che la governance aveva a che fare con il governo. Peggio è che alcuni dicano che la governance non è che un mero neologismo appartenente alla sfera manageriale, un pezzo di ideologia vecchio stampo. Altri pensano che la governance sia semplicemente una ritirata verso il libe- ralismo dal fondamentalismo di mercato neoliberista.

Ma noi proponiamo di ridurla a una sorta di «pensiero statale», una forma di pensiero che, secondo Gilles Deleuze e Felix Guattari, sosteneva la resa e l'ammassa- mento della ricchezza sociale. Un pensiero che pensa oltre il privato, dinanzi al pubblico e al privato, ma non esat- tamente dinanzi, piuttosto un passo avanti. Il pensiero statale dice: «Hanno dato fuoco al proprio quartiere».

---

7  *White trash* è un termine dispregiativo utilizzato nel contesto statuni- tense per indicare quella parte della popolazione bianca (specie degli stati del sud) generalmente considerata povera e non istruita.

Non il proprio in realtà, ma dinanzi al proprio. Ma poi nessuno scrive più sullo stato, perché la governance è troppo intelligente per fare questo; la governance ci invita a ridere dello stato, a ripensare lo stato, la sua immaturità politica di fronte a una governamentalità per tutti, il suo comportamento pericoloso, la sua indolenza e la sua nerezza. Il che significa essenzialmente l'esaustione della nerezza pensata dallo stato e un nuovo modo di rubare dalle vite (de)rubate, che si rifiutano di rinunciare al segreto del rubare con il loro furto, che è anche il segreto del rubare il loro furto.

Potremmo dire che, nel nuovissimo linguaggio delle scienze sociali, la governance è generata da un rifiuto tra le popolazioni biopolitiche. O, forse, dall'auto-attività del lavoro immateriale. Tuttavia, forse potremmo dire che essa è causata dalla *comunicabilità dell'ingestibile differenza sessuale e razziale* e insistiamo nel sostenere che il debito della ricchezza sia ora incommensurabile.

# 12.

La governance è una strategia per la privatizzazione del lavoro riproduttivo sociale, una strategia provocata dalla sua comunicabilità, da essa infettata, ospitale e ostile. Come sostiene Toni Negri: «Il nuovo volto del lavoro produttivo (intellettuale, relazionale, linguistico e affettivo, piuttosto che fisico, individualistico, muscolare e strumentale) non minimizza, ma accentua la corporeità e materialità del lavoro». Malgrado ciò, accumulare il lavoro affettivo e cognitivo a partire da queste differenze altamente comunicabili non è la stessa cosa che accumulare corpi biopolitici che lavorano. Le differenze qui contano, non per una questione d'ordine, ma perchè l'ordine conta per le differenze. L'ordine della governance è l'ordine che raccoglie le differenze, l'ordine che raccoglie ciò che Marx chiamava lavoro ancora auto-oggettivante.

# 13.

Ma la governance raccoglie pezzi come una trivella in cerca di campioni da perforare. La governance è una forma di prospezione per questo lavoro immateriale. Il lavoro immateriale è opaco al pensiero statale, fino a quando diventa forza lavoro, potenzialità intercambiabile. Il lavoro immateriale potrebbe essere facilmente scambiato per vita, ragione per cui il biopolitico deve assumere una nuova forma. Una forma che spinga la vita a rinunciare a questo nuovo potenziale. La responsabilità sociale delle imprese è sincera. L'invito alla governamentalità è realizzato per via di un trasferimento di responsabilità, e il lavoro immateriale è distinto dalla vitalità della vita, dal suo tramite, attraverso la presa di responsabilità, così che la vita è ora contraddistinta dalla sua ovvia irresponsabilità.

Poiché né lo stato né il capitale sanno dove trovare il lavoro immateriale o come distinguerlo dalla vita, la governance si presenta come una specie di trivella esplorativa con una punta di responsabilità. Ma questa perforazione non è affatto rivolta alla forza lavoro. È bensì rivolta alla politica, o come suggerisce Tiziana Terranova, a una nuova forma di *soft control*, un controllo soffice, la coltivazione di interesse politico al di sotto del politico. Lo slogan della governance potrebbe non essere «dove c'è gas, c'è anche petrolio», ma «dove c'è politica c'è anche lavoro», un tipo di lavoro che potrebbe essere indotto – secondo le parole della critica – o sviluppato – secondo la linea politica – in forza lavoro. Ciò nonostante, questo lavoro come soggettività non è politica, di per sé. Affinché possa rinunciare alla sua forza lavoro dev'essere politicizzato o, piuttosto, potremmo dire che la politica è il processo di raffinazione del lavoro immateriale. La politicizzazione è opera del pensiero statale, il lavoro, oggi, del capitale. Questo è l'interesse che matura. E gli interessi sono la sua linfa vitale, il suo lavoro.

# 14.

La governance opera attraverso l'apparente auto-generazione di questi interessi. A differenza dei regimi di sovranità anteriori, non c'è interesse predeterminato (nessuna nazione, costituzione, lingua) da realizzare collettivamente. Gli interessi sono invece sollecitati, offerti e accumulati. Ma questo è un momento così prossimo alla vita, alla vitalità, al corpo, così prossimo ai non interessi, che l'imposizione dell'autogestione diventa d'obbligo. Quella imposizione è la governance.

# 15.

La governance diventa allora la gestione dell'autogestione. La generazione di interessi appare come ricchezza, pienezza, potenziale. Nasconde lo scarto dell'immateriale

grezzo e la sua riproduzione nel turbinio delle sue conferenze, consulenze e campagne di sensibilizzazione.
Pertanto, all'interno dell'azienda, l'autogestione si
distingue dall'obbedienza per la generazione di nuovi interessi verso la qualità, il design, la disciplina e la comunicazione. Ciò nondimeno, con l'implosione di tempo e spazio
nell'azienda, con la dispersione e la virtualizzazione della
produttività, la governance arriva a gestire l'autogestione,
non dall'alto, ma dal basso. Quello che ne viene fuori, allora,
non è forse valore dal basso come lo chiama Toni Negri, ma
politica dal basso, così che dobbiamo avere diffidenza dei
movimenti dal basso e sospetto della comunità. Quando
quello che emerge dal basso è costituito da interessi, quando
il valore dal basso diventa politica dal basso, l'autogestione
è stata realizzata e la governance ha fatto il suo corso.

# 16.

I sovietici erano soliti dire che gli Stati Uniti avevano la
libertà di parola, ma che nessuno riusciva a sentirti per via
del rumore delle macchine. Oggi, nessuno riesce a sentirti
per via del rumore della parola. Maurizio Lazzarato ritiene
che il lavoro immateriale sia loquace laddove il lavoro
industriale di un tempo era muto. I popoli della governance sono gregari. La gregarietà è la forma di scambio
della forza lavoro immateriale, una forza lavoro convocata
dagli interessi a partire da una comunicabilità senza interesse, una comunicabilità virale, un battito.

La compulsione a raccontarci come ti senti è la compulsione
del lavoro, non cittadinanza, sfruttamento e non dominio,

ed è bianchezza. La bianchezza è il motivo per cui Lazzarato non riesce a sentire il lavoro industriale. La bianchezza non è altro che una relazione con la nerezza, come abbiamo cercato di descriverla qui, ma soprattutto, una relazione con la nerezza nella sua relazione con il capitale, che equivale al movimento dal mutismo alla sorda insolenza che il portare rumore potrebbe realizzare. Ma il rumore della parola, il rumore bianco, l'ambiente pieno di stimoli e informazioni della gregarietà, deriva da soggettività fatte di lavoro oggettivato. Queste sono le soggettività degli interessi, della forza lavoro, le cui potenzialità sono già limitate da come saranno spese e da come saranno mute nei confronti della loro nerezza. Questa è la vera mutezza del lavoro industriale. Questa la vera gregarietà del lavoro immateriale. La governance è l'estensione della bianchezza su scala globale.

# 17.

Le Ong sono laboratori di governance. La loro premessa è che tutte le popolazioni debbano diventare gregarie. Inoltre, l'etica delle Ong, il sogno della governance in generale, è andare oltre la rappresentazione come forma di sovranità, auto-generare la rappresentazione, nella sua duplice valenza: coloro che possono rappresentarsi saranno anche quelli che si ri-presentano come interessi in un'unica e identica mossa, annullando così la distinzione. L'Ong è il ramo di ricerca e di sviluppo della governance che trova nuovi modi di apportare alla nerezza quello che si dice le manchi, la cosa che non può essere portata: gli interessi. «Non voglio parlare per quella gente», questo il mantra della governance.

# 18.

La governance è la messa a lavoro della democrazia. Quando la rappresentazione diventa obbligo per tutte, quando la politica diventa lavoro di tutti, la democrazia diventa laboriosa. La democrazia non può più promettere il ritorno di qualcosa di perso sul posto di lavoro, ma diventa piuttosto essa stessa estensione del posto di lavoro. E persino la democrazia non può contenere la governance, ma è solo uno strumento nella sua cassetta degli attrezzi. La governance è sempre generata, sempre organica a ogni situazione. La democrazia assume posizioni sbagliate in molte situazioni e deve essere lavorata, modellata per apparire tanto naturale quanto la governance, fatta per servire la governance.

# 19.

Perché la governance è l'annunciazione dello scambio universale. Lo scambio, attraverso la comunicazione, tra tutte le forme istituzionali, tutte le forme di valore di scambio, è l'enunciazione della governance. L'ospedale parla alla prigione che parla all'università che parla alla Ong che parla all'azienda attraverso la governance, e non solo ognuna all'altra, ma ognuna sull'altra. Tutti sanno tutto sulla nostra biopolitica. Questa è la perfezione della democrazia sotto l'equivalente generale. È anche l'annunciazione della governance come realizzazione dello scambio universale sulla base del capitalismo.

# 20.

La governance e la criminalità – la condizione dell'essere senza interessi – arrivano a rendersi reciprocamente possibili. Cosa vorrebbe dire lottare contro la governance, contro ciò che può produrre la lotta germinando interessi? Quando la governance è intesa come criminalizzazione dell'essere senza interessi, come una regolamentazione portata in essere dalla criminalità, dove la criminalità è quell'eccesso lasciato dalla criminalizzazione, una certa fragilità emerge, un certo limite, un'incerta imposizione da parte di una pulsione maggiore, del cui nome la mera pronuncia è diventata, ancora una volta, assolutamente troppo nera, troppo forte.

# Debito e studio

## DEBITO E CREDITO

Dicono che abbiamo troppo debito. Abbiamo bisogno di
un credito migliore, più credito, meno spesa. Ci offrono
riparazioni di credito, consulenza di credito, microcre-
dito, pianificazione finanziaria personale. Promettono di
pareggiare di nuovo credito e debito, debito e credito. Ma i
nostri debiti rimangono insoluti. Continuiamo a comprare
un'altra canzone, un altro giro. Non è il credito quello che
cerchiamo, e neanche il debito, ma il debito insoluto, vale
a dire il debito vero, il debito che non può essere ripagato,
il debito a distanza, il debito senza creditore, il debito nero,
il debito queer, il debito criminale. Il debito eccessivo,
incalcolabile, il debito senza motivo, il debito rovinato dal
credito, il debito come suo stesso principio.

Il credito è un mezzo di privatizzazione e il debito un
mezzo di socializzazione. Fino a quando appaiono
abbinati – nella violenza monogama della casa, della
pensione, del governo o dell'università – il debito può
solo nutrire il credito, il debito può solo desiderare il
credito; e quest'ultimo può solo espandersi per mezzo del
debito. Tuttavia, il debito è sociale e il credito asociale.
Il debito è mutuo. Il credito circola solo in un'unica
direzione. Il debito funziona, invece, in ogni direzione,

si disperde, scappa, cerca rifugio. La debitrice cerca rifugio tra altre debitrici, acquisisce da loro debito, offre loro debito. Il luogo del rifugio è il luogo al quale si deve sempre di più, perché non vi è possibile alcun creditore, alcun pagamento. Questo rifugio, questo luogo di debito insoluto, è ciò che chiamiamo il pubblico fuggitivo. Passando attraverso il pubblico e il privato, lo stato e l'economia, il pubblico fuggitivo non può essere conosciuto per il suo debito insoluto, ma solo per le sue cattive debitrici. Per i creditori è solo un luogo dove c'è qualcosa di sbagliato, nonostante questo qualcosa – la cosa inestimabile, la cosa che non ha valore – sia desiderato. I creditori cercano di demolire quel luogo, quel progetto, per salvare da sé stessi e dalle loro vite coloro che lì vivono.

Lo ricercano, raccolgono informazioni su di esso, cercano di calcolarlo. Vogliono salvarlo. Vogliono rompere la sua concentrazione e conservarne i frammenti in banca. Ma all'improvviso, la cosa che il credito non può conoscere, la cosa fuggitiva per cui non ottiene alcun credito, diventa ineluttabile.

Una volta che inizi a vedere il debito insoluto, inizi a vederlo ovunque, a udirlo ovunque, a sentirlo ovunque. Questa è la vera crisi del credito, la sua reale crisi di accumulazione. Ora il debito comincia ad accumulare senza di esso. Ecco cosa lo rende così insoluto. Lo abbiamo visto ieri in un passo, in alcuni movimenti del bacino, in un sorriso, nel modo in cui una mano si muoveva. Lo abbiamo sentito in una pausa, una rottura, un taglio, una fluttuazione di voce, nel modo in cui le parole balzavano fuori.

Lo abbiamo sentito nel modo in cui qualcuno mette da parte le cose migliori solo per donartele e dopo sono un debito andato via, dato in dono. Non vogliono niente. Devi accettarlo, lo devi accettare. Sei in debito, ma non puoi dare alcun credito, perché non lo manterranno. Poi squilla il telefono. Sono i creditori. Il credito tiene traccia. Il debito dimentica. Non sei a casa, non sei tu, te ne sei andata senza lasciare un recapito chiamato rifugio.

La studentessa non è a casa: fuori tempo, fuori luogo, senza credito, in debito insoluto. La studentessa è una cattiva debitrice, minacciata dal credito. La studentessa fugge dal credito. Il credito la perseguita, le offre di pareggiare credito e debito, finché si siano accatastati abbastanza debiti e crediti. Ma la studentessa ha un'abitudine, una cattiva abitudine. Studia. Studia, ma non apprende. Se imparasse, potrebbero misurare i suoi progressi, stabilire le sue qualità, darle credito. Ciò nonostante, continua a studiare, continua a pianificare lo studio, continua a fuggire per studiare, continua a studiare un piano, continua a elaborare un debito. La studentessa non intende pagare.

## DEBITO E DIMENTICANZA

Il debito non può essere perdonato, può solo essere dimenticato per essere ricordato ancora. Perdonare il debito significa ripristinare il credito. È giustizia riparativa. Il debito può essere abbandonato nel debito insoluto; può essere dimenticato in quanto debito insoluto, ma non può essere perdonato. Solo i creditori possono perdonare, e solo le debitrici, le cattive debitrici, possono offrire giustizia.

I creditori perdonano il debito per offrire credito, per offrire la fonte stessa del tormento del debito, un tormento per il quale esiste una sola giustizia: debito insoluto, che dimentica e rimembra ancora, che ricorda che non può essere pagato, non può essere accreditato, non può essere considerato come ricevuto. Ci sarà un giubileo quando il Nord spenderà i suoi soldi finché non avrà più nulla, e spenderà ancora, a credito, con carte di credito rubate, a nome di un amico che sa di non vedere mai più. Ci sarà un giubileo quando il Sud globale non otterrà credito per i contributi agevolati alla civiltà e al commercio mondiali, ma manterrà i suoi debiti, li scambierà solo per i debiti delle altre: uno scambio tra coloro che non intendono mai pagare, che non saranno mai autorizzati a pagare, in un bar di Penang, Port of Spain, Bandung, dove il tuo credito non vale.

Il credito può essere recuperato, ristrutturato, riabilitato, ma un debito perdonato è sempre ingiusto, sempre non perdonato. Credito recuperato è giustizia restaurata, e la giustizia riparativa è sempre il regno rinnovato del credito, un regno di terrore, una tempesta di obblighi che devono essere rispettati, misurati, imposti, sopportati. La giustizia è possibile solo dove il debito non obbliga mai, dove non esige mai e dove mai eguaglia il credito, il pagamento e il rimborso. La giustizia è possibile solo dove non è mai chiesta, nel rifugio del debito insoluto, nel pubblico fuggitivo delle sconosciutə e non della comunità, degli undercommons e non dei quartieri, tra coloro che, giunti da qualche parte, sono stati lì tutto il tempo. Cercare giustizia attraverso la sua restaurazione significa riconsegnare il debito ai rendiconti, e si sa che nei rendiconti i conti non tornano.

Si lanciano a capofitto nel rischio, nella volatilità, nell'incertezza: più credito che insegue più debito, più debito ammanettato al credito. Ristrutturare non è, ancora una volta, conservare. Non c'è rifugio nella ristrutturazione. La conservazione è sempre nuova. Proviene da quel luogo dove ci siamo fermatɘ mentre stavamo scappando. È fatta dalle persone che ci hanno accolto. È lo spazio che dicono essere sbagliato, la pratica che dicono necessiti di riparazione, l'an-economia senza fissa dimora del fare visita. I pubblici fuggitivi non hanno bisogno di essere ristrutturati. Hanno bisogno di essere conservati, ovvero mossi, nascosti, riavviati con la stessa beffa, la stessa storia, sempre altrove da dove il lungo braccio del creditore li cerca, risparmiati dalla ristrutturazione, oltre la giustizia, oltre la legge, in un paese maledetto, in debito insoluto. Sono pianificati quando sono meno attesi, sono pianificati quando non seguono il processo, pianificati quando sfuggono alla policy, evadono la governance, dimenticano sé stessi, rimembrano sé stessi, quando non hanno bisogno di essere perdonati. Non sono sbagliati nonostante non siano, alla fine, comunità; sono debitrici a distanza, cattivi debitori, dimenticati, ma mai perdonati. Dai il credito dove è dovuto, e rendi alle cattive debitrici solo debito, solo quella mutualità che ti dice quello che non puoi fare. Non puoi ripagarmi, darmi credito, liberarti di me, e non posso lasciarti andare quando te ne sei andata. Sei vuoi fare qualcosa, dimentica questo debito, e ricordatene più tardi.

Il debito a distanza è dimenticato, e rimembrato ancora. Pensa all'autonomia, al suo debito a distanza nei confronti della tradizione radicale nera. Nell'autonomia, nella militanza del post-operaismo, non c'è un fuori, il rifiuto prende posto dentro, fa la sua irruzione, realizza furtivamente la sua fuga, il suo esodo dall'interno. C'è produzione biopolitica e c'è impero. C'è persino quello che Franco 'Bifo' Berardi chiama il problema dell'anima. In altre parole, c'è questo debito a distanza verso una politica globale della nerezza che emerge dalla schiavitù e dal colonialismo, una politica radicale nera, una politica del debito senza pagamento, senza credito, senza limite. Questo debito è stato costruito in una lotta con l'impero prima dell'avvento dell'impero, dove il potere non era soltanto dalla parte delle istituzioni o dei governi, dove ogni proprietario o colonizzatore aveva il potere violento di uno stato ubiquo. Questo era un debito assegnato a coloro che, attraverso muta insolenza o piani notturni, scappavano via senza partire, partivano senza uscire. Questo debito è stato condiviso con tutta coloro la cui anima è stata ricercata per la forza lavoro, il cui spirito è stato sorretto da un prezzo che lo marcava. Inoltre, un debito che si gioca, un debito che si cammina, un debito che si ama è ancora un debito condiviso, mai accreditato, un debito che non tollera il credito. E senza credito, questo debito è infinitamente complesso. Non si risolve nel profitto, nella confisca dei beni, nel saldo dei pagamenti. La tradizione radicale nera è il movimento che lavora attraverso questo debito. La tradizione radicale nera è il lavoro del debito. Lavora nel debito insoluto di coloro che hanno debito insoluto. Lavora intimamente e a distanza, fino a quando l'autonomia, per esempio, ricorda e dimentica. La tradizione radicale nera è debito non consolidato.

# DEBITO E RIFUGIO

Siamo andate all'ospedale pubblico, ma era privato, ma siamo passati dalla porta con la scritta «privato» per andare nella sala caffè delle infermiere, ed era pubblica. Siamo andate all'università pubblica, ed era privata, ma siamo andati dal barbiere nel campus ed era pubblico. Siamo andatǝ in ospedale, all'università, nella biblioteca, nel parco. Ci è stato offerto credito per il nostro debito. Ci è stata concessa la cittadinanza. Ci hanno dato il credito dello stato, il diritto di rendere privata ogni cosa pubblica andata a male. I buoni cittadini possono pareggiare crediti e debiti. Ottengono credito per il fatto che conoscono la differenza, perché conoscono il loro posto. Il debito insoluto conduce a pubblici insoluti, non corrisposti, non consolidati, non redditizi. Ci hanno fatto cittadine onorarie. Abbiamo onorato il nostro debito alla nazione. Abbiamo valutato il servizio, assegnato un punteggio alla pulizia, pagato le nostre tasse.

Poi siamo andatǝ dal barbiere e ci hanno offerto un pezzo di torta natalizia, e siamo andatǝ nella sala caffè a prendere un caffè e delle pillole rosse. Stavamo per scappare ma non ce n'è stato bisogno. Erano loro a scappare. Scappavano attraverso lo stato e attraverso l'economia, come in un taglio segreto, un'insorgenza pubblica, una piega fuggitiva. Sono scappati, ma non sono andati da nessuna parte. Sono rimasti per farci rimanere. Hanno visto arrivare il nostro debito insoluto da molto lontano. Ci hanno mostrato che questa era la cosa pubblica, la cosa pubblica vera, fuggitiva, e ci hanno anche mostrato dove andare a cercarla.

Cercarla qui, dove dicono che lo stato non funziona. Cercarla qui, dove dicono che c'è qualcosa di sbagliato in questa strada. Cercarla qui, dove nuove policy devono essere introdotte. Cercarla qui, dove misure più dure devono essere prese, dove i segnali di allarme devono essere rafforzati, dove i documenti devono essere presentati, dove i quartieri devono essere ripuliti. Il debito insoluto elabora sé stesso ovunque. Ovunque tu possa stare, conservarti, pianificare. Qualche minuto, qualche giorno, e non li sentirai più dire che c'è qualcosa di sbagliato in te.

## DEBITO E GOVERNANCE

Li sentiamo dire: quello che c'è di sbagliato in te è il tuo debito insoluto. Non stai lavorando. Non riesci a pagare il tuo debito alla società. Non hai credito, ma c'era da aspettarselo. Hai un credito in negativo, e va bene. Ma il debito insoluto è un problema. È un debito che cerca solo un altro debito e che, separato dai creditori, rifugge la ristrutturazione. Destrutturare il debito, ecco lo sbaglio. E tuttavia, quello che c'è di sbagliato in te può essere riparato. Prima ti diamo una possibilità. Si chiama governance, una possibilità di essere interessata, e poi ti diamo anche un assaggio di cosa vuol dire essere disinteressata. Questa è policy. Oppure ti diamo la policy, se stai ancora sbagliando, se sei ancora difettosa. Il debito insoluto è senza senso, ovvero non può essere percepito dai sensi del capitale. Ma c'è una terapia disponibile. La governance vuole connettere il tuo debito al mondo esterno ancora una volta. Sei nello spettro, lo spettro capitalista degli interessi. Sei la parte sbagliata. Il tuo debito insoluto sembra sconnesso, autistico, nel suo proprio mondo. Ma hai del potenziale affinché tu possa essere matura. Dopotutto, puoi ottenere credito. La chiave è negli interessi. Dicci cosa vuoi. Dicci cosa vuoi e ti aiuteremo a ottenerla, a credito. Possiamo abbassare il tasso per farti avere interesse. Possiamo alzare il tasso, così potrai prestarci attenzione. Ma non possiamo farlo da soli. La governance lavora solo quando tu lavori, quando ci dici i tuoi interessi, quando investi i tuoi interessi ancora nel debito e nel credito. La governance è la terapia dei tuoi interessi, e i tuoi interessi ti restituiranno il tuo credito. Avrai un investimento, anche nel debito. E la governance acquisterà nuovi sensi, nuove percezioni, nuovi progressi nel mondo del debito insoluto, nuove vittorie nella guerra a chi non ha interessi, a chi non parlerà per sé stessa, non parteciperà, non identificherà i propri interessi, non investirà, non (in)formerà e non pretenderà credito.

La governance non cerca credito. Non cerca cittadinanza, nonostante sia spesso intesa come qualcosa che possa farlo. La governance cerca il debito, quel debito che cercherà il credito. La governance non può non sapere cosa potrebbe essere condiviso, cosa potrebbe essere mutuo, cosa potrebbe essere comune. Perché conferire credito, perché conferire la cittadinanza? Solo il debito è produttivo, solo il debito rende il credito possibile, solo il debito permette al credito di dettare le regole. La produttività viene sempre prima della regola, anche se le studentesse della governance non lo capiscono, e anche se la governance stessa a malapena lo capisce. Ma la regola arriva, e adesso si chiama policy, il regno della precarietà.

Chissà dove ti colpirà quando qualche creditore ti passerà accanto. Anche se manterrai lo sguardo basso, lui farà policy lo stesso, distruggerà qualsiasi cosa che hai costruito e sei riuscita a mettere da parte, ogni debito insoluto che stai trafugando. La tua vita ritornerà quindi alla crudele sorte, alla violenza arbitraria, a una nuova carta di credito, a un nuovo prestito per l'auto; una vita strappata da coloro che ti nascondevano, strappata da coloro che condividevano con te un debito insoluto. Non avranno più tue notizie.

## STUDIO E PIANIFICAZIONE

La studentessa non ha interessi. Gli interessi della studentessa devono essere identificati, dichiarati, perseguiti, valutati, consigliati e accreditati. Il debito produce interessi. La studentessa sarà indebitata. La studentessa sarà interessata. Interessa le studentesse! La studentessa può essere calcolata dai suoi debiti, può calcolare i suoi debiti con i suoi interessi. È in vista del credito, in vista della laurea, in vista dell'essere una creditrice, di essere capitalizzata nella formazione, una cittadina. La studentessa con gli interessi può richiedere policy, può formulare policy, darsi credito, perseguire le cattive debitrici con una buona policy, una policy solida, una policy basata sull'evidenza. La studentessa con credito può privatizzare la sua stessa università. La studentessa può avviare la propria Ong, invitare le altre a identificare i loro interessi, a metterli sul tavolo della discussione, a unirsi alla conversazione globale, parlare per sé stesse, ottenere credito, gestire debiti. La governance è portatrice di interessi. Credito e debito. Non esiste altra definizione di buona governance, non altro interesse. Il pubblico e il privato in armonia, in policy, alla ricerca di debito insoluto, sul sentiero dei pubblici fuggitivi, inseguendo le tracce del rifugio. La studentessa si laurea.

Non tutte, però. Alcune restano ancora, impegnate nello studio nero, nelle aule sottocomuni dell'università. Studiano senza un fine, pianificano senza una pausa, si ribellano senza una policy, risparmiano senza patrimonio. Studiano nell'università e l'università le forza verso il basso, le relega nello stato di chi è senza interessi, senza credito, senza il debito che (sop)porta interesse, che guadagna crediti. Non si laureano mai. Semplicemente, non sono pronte. Stanno costruendo qualcosa lì dentro, qualcosa là sotto. Debito mutuo, debito impagabile, debito slegato, debito non consolidato, debito reciproco in un gruppo di studio, debito per le altre nella sala delle infermiere, per gli altri dal barbiere, per le altre in una casa occupata, una discarica, un bosco, un letto, un abbraccio.

E si incontrano negli undercommons dell'università per elaborare il loro debito senza credito, il loro debito incal-colabile, senza interesse, senza rimborso. Qui, incon-trano quelle altre che dimorano in una compulsione diversa, nello stesso debito, una distanza, una dimen-ticanza, rimembrate ancora una volta, ma solo dopo. Queste altre portano borse piene di ritagli di giornale, o si siedono a un'estremità del bancone, o stanno in piedi ai fornelli a cucinare, o si siedono su uno scatolone all'e-dicola, o parlano attraverso le sbarre, o parlano in lingue. Queste altre hanno una passione, quella di dirti ciò che hanno trovato, e sono sorprese che tu voglia ascoltare, anche se ti stavano aspettando. A volte la storia non è chiara, o comincia in un sussurro. Si ripete, ma ascolta, è singolare ancora e ogni volta. Questa conoscenza è stata mortificata e la ricerca respinta. Loro non possono avere accesso ai libri, e nessuno le pubblicherà. La policy ha concluso che sono cospiratrici, eretiche, criminali, dilettanti. La policy dice che non sanno come gestire il debito e non otterranno mai credito. Ma se le ascolti, ti diranno: non gestiremo il credito, e non possiamo gestire il debito, il debito fluisce attraverso di noi e non c'è tempo per raccontarti tutto, così tanto debito insoluto, così tanto da dimenticare e ricordare, ancora una volta. Eppure, se le ascoltiamo diranno: vieni, pianifichiamo qualcosa insieme. Ed è quello che faremo. Lo diremo a tuttə voi, ma non lo diremo a nessun altro.

# Pianificazione e policy

Uniamoci e prendiamoci della terra
Coltiviamo il nostro cibo, come l'uomo bianco
Mettiamo da parte i nostri soldi come la mafia
Costruiamo una fabbrica

James Brown,
*Funky President*

La speranza di cui scriveva Cornel West nel 1984 non era destinata a ciò che chiamiamo «policy».[8] Coloro che la praticavano, dentro e contro ogni contingenza imposta, avevano sempre un piano. Dentro e fuori le profondità del reaganismo, sullo sfondo e attraverso un'irruzione resuscitatrice nella politica – che si potrebbe dire Jesse Jackson abbia sia simboleggiato che sedato – esiste qualcosa che West indica come radicalismo nero, il quale «spera contro ogni speranza (...) per sopravvivere nel deplorevole presente»; riafferma, inoltre, un surrealismo metapolitico che vede, e vede oltre, l'evidenza dell'incapacità di massa, interrompendo la disperazione che genera. La speranza esuberantemente metacritica ha sempre ecceduto ogni

---

8  Si è scelto di non tradurre policy nel suo corrispettivo italiano «politiche pubbliche» per conservare la vicinanza polisemica e fonica tra le parole policy e *police* (polizia).

circostanza immediata nelle sue innumerevoli e variegate rappresentazioni quotidiane dell'arte fuggitiva della vita sociale. Quest'arte è praticata al (e oltre il) limite della politica, sotto il suo terreno, nella decomposizione animatoria e improvvisativa del suo corpo inerte. Emerge come una postura d'ensemble, una serie cinetica di posizioni, ma prende anche la forma dell'annotazione incorporata, dello studio, dello spartito. Il suo rumore codificato è nascosto, in piena vista, da coloro che – anche se ti mettono sotto costante sorveglianza – rifiutano di vedere e ascoltare quella cosa la cui imitazione repressiva essi richiamano e sono. Ora, a più di un quarto di secolo dall'analisi di West, e con l'intervento di un'iterazione che nel frattempo ha avuto l'audacia di richiamare a casa la speranza mentre la ripudiava serialmente e contribuiva a estendere e a preparare la sua eclissi quasi totale – i resti della politica americana trasudano ancora una volta di speranza. Ora la speranza – avendo perso apparentemente il suo margine raddoppiato, mentre si abituava e si accontentava delle tecniche carcerarie del possibile, così da diventare, involontariamente, il modo privilegiato di espressione di un certo tipo di disperazione – appare semplicemente come una questione di policy. La policy, d'altro canto, non si presenta come una questione semplice.

Ciò che chiamiamo policy è la nuova forma che il comando assume quando si afferma. È stato notato che, con nuove incertezze riguardo a come e dove il plusvalore è generato, e riguardo a come e dove sarà generato successivamente, i meccanismi economici della compulsione sono stati rimpiazzati da forme direttamente politiche.

Di certo, per il soggetto coloniale questo cambiamento è un non cambiamento, come Fanon aveva ben compreso; e come Nahum Chandler ha fatto presente, il problema della linea del colore non è né il problema di una nuova accumulazione, né di un'accumulazione antica e primitiva. Il problema risiede nient'altro che nel modo in cui la differenza tra il lavoro e il capitale rimane precedente alla sua rimanenza, ed è resa abbondante o come abbondanza. Inoltre, quello che stiamo chiamando policy si presenta ai nostri occhi adesso, non perché la gestione abbia fallito sul posto di lavoro, dove mai come prima prolifera, ma perché la gestione economica non può vincere la battaglia che infuria nel regno della riproduzione sociale. Qui la gestione incontra forme di quello che chiameremo pianificazione, che resistono a ogni suo tentativo di imporre una compulsione di scarsità attraverso l'appropriazione dei mezzi di riproduzione sociale. Negli undercommons del regno riproduttivo sociale, i mezzi, ossia quelli che pianificano, sono ancora parte del piano. E il piano è inventare i mezzi in un esperimento comune avviato da qualsiasi cucina, portico, cantina, corridoio, panchina di un parco, da qualsiasi festa improvvisata, ogni notte. Questo esperimento continuo con l'informale, eseguito da e sui mezzi di riproduzione sociale, così come l'avvenire delle forme di vita, è quello che intendiamo per pianificazione; la pianificazione negli undercommons non è un'attività, non è pescare o ballare o insegnare o amare, ma è l'incessante esperimento con la presenza futurale delle forme di vita che rendono tali attività possibili. Sono questi i mezzi infine rubati dal socialismo di stato (essendo stati di buon grado ceduti a esso), la cui perversione del pianificare era un crimine secondo solo all'impiego della policy nell'odierna economia pianificata.

Di certo, le vecchie forme di comando non se ne sono mai andate. Lo stato carcerario è ancora in vigore e le guerre strategiche al narcotraffico, ai giovani, alla violenza e al terrorismo hanno persino ceduto il passo alle guerre logistiche dei droni e del credito. Ma per quanto tale comando statale rimanga orribile, ora deputa e delega il suo potere ad agenti apparentemente innumerevoli, e totalmente responsabili e responsabilizzati, che performano versioni interne contemporanee delle precedenti deputazioni di violenza statale ai *knightriders* e ai colonizzatori. O piuttosto, poiché sia i *nightriders*[9] che i coloni non se ne sono mai andati via, ma sono stati deputati alla segregazione, all'anticomunismo, alla migrazione, all'eteropatriarcato della famiglia nucleare in gran parte del Nord globale, ciò che la policy rappresenta è una nuova arma nelle mani di questi cittadini-delegati. Mantieni la tua posizione[10] –

---

9  I *nightriders* erano bande punitive, il più delle volte parte del gruppo suprematista bianco Ku Klux Klan. Erano responsabili di atti di linciaggio e di attacchi terroristici per mezzo di esplosivi posti generalmente nelle case, o nelle chiese, della popolazione africanə-americanə. Poco sopra appaiono anche nella forma di *knightriders*, che indica sia una denominazione originaria del Ku Klux Klan (Hooded Knight Riders) che una sua frangia, tuttora attiva.
10  Riferimento alla «legge di difesa a oltranza» (*Stand your ground law*), secondo cui una persona armata ha il permesso di uccidere un presunto aggressore solo in base alla mera percezione di pericolo per la propria incolumità. È tornata alla ribalta nel 2012, in Florida (dove la legge è ancora in vigore), dopo l'assoluzione per legittima difesa del vigilante bianco George Zimmerman, autore dell'omicidio dell'adolescente africano-americano Trayvon Martin. In seguito a questi accadimenti, cominciò ad apparire su vari social media l'hashtag #BlackLivesMatter, da cui poi ha avuto origine l'omonimo movimento, impegnato nella lotta antirazziale.

perché l'uomo non è nato per fuggire, perché il suo colore non andrà via, perché ancora una volta il colonizzatore deve intonare il disconoscimento e prendere di mira la traccia epidermizzata del proprio desiderio di rifugio – è solo la più nota iterazione di questa rinnovata dispersione e deputazione di violenza statale, rivolta ai quartieri lentamente fuggitivi degli undercommons.

Non accontentandosi di abbandonare il regno della riproduzione sociale, né di condizionarlo per il posto di lavoro – le due mosse sempre correlate dell'autonomia relativa dello stato capitalista – il capitale oggi vuole esserci. Ha intravisto il valore della riproduzione sociale e vuole il controllo dei mezzi, e non più solo convertendoli in produttività all'interno delle industrializzazioni formali della cura, del cibo, dell'educazione, del sesso ecc., ma guadagnando accesso all'esperimento informale con la riproduzione sociale della vita stessa, e controllandolo direttamente. Per farlo, il capitale deve disfare gli incessanti piani degli undercommons. E qui, con amara ironia, è dove la speranza di cui West poteva ancora parlare nel 1984, successivamente ritornata nel sottosuolo, è evocata come un'immagine la cui inefficacia è anche la sua mostruosità. Ciò di cui parliamo, nella sua sopravvivenza in quanto pianificazione, appare, nella sua fase di declino come quella speranza che è stata usata contro di noi dall'asse Clinton-Obama, in una forma ancora più perversa e ridotta, per gran parte degli ultimi venti anni.

La pianificazione è autosufficienza a livello sociale, e

riproduce nel suo esperimento non solo quello di cui ha bisogno, la vita, ma quello che vuole, la vita nella differenza, nel gioco dell'antagonismo generale. La pianificazione comincia dalla solidità, dalla continuità e dal resto di questa autosufficienza sociale, sebbene non finisca lì, con l'aver dato luogo a tutta questa complessa mobilità. Comincia come questa interruzione dell'origine, con quello che potremmo chiamare preservazione militante. E questi sono i suoi mezzi. La policy deputa coloro che vogliono, che arrivano a voler frammentare questi mezzi, come modo per controllarli, così come un tempo era necessario dequalificare un operaio nella fabbrica separando i suoi mezzi di produzione. Lo fa diagnosticando i pianificatori. La policy dice che coloro che pianificano hanno qualcosa di sbagliato, qualcosa di profondamente, ontologicamente sbagliato in loro. Questo è il primo affondo della policy in qualità di comando disperso, delegato. Cosa c'è che non va in loro? Non cambieranno. Non accoglieranno il cambiamento. Hanno perso la speranza. Così dicono i delegati della policy. C'è bisogno di dare loro speranza. Hanno bisogno di vedere che il cambiamento è l'unica opzione. Quello che i delegati della policy intendono per cambiamento è contingenza, rischio, flessibilità e adattabilità al terreno privo di fondamento del vacuo soggetto capitalista, nel regno dell'assoggettamento automatico che è il capitale. La policy è quindi vestita con l'esclusiva ed esclusoria uniform(e)ità della contingenza come consenso imposto, che al contempo nega e cerca di distruggere i continui piani, le iniziazioni fuggitive, le operazioni nere della moltitudine.

In quanto resistenza dall'alto, la policy è un nuovo

fenomeno di classe, perché l'atto di fare policy per gli altri, di dichiarare le altre come sbagliate è al tempo stesso una prova per un'economia postfordista che, a detta dei delegati, premia coloro che accolgono il cambiamento, ma che in realtà li trattiene nella contingenza, nella flessibilità e in quella precarietà amministrata che immagina sé stessa immune da ciò che Judith Butler definirebbe come la nostra precarizzazione sottocomune. Questa economia è alimentata dall'insistenza costante e automatica sull'esternalizzazione del rischio, sul mettere a rischio ogni vita in un modo imposto esternamente, affinché il lavoro contro il rischio possa essere raccolto senza fine.

La policy è la forma che l'opportunismo prende in questo ambiente, una forma che sposa il carattere politico e radicalmente extra-economico del comando odierno. È una dimostrazione della volontà di contingenza, un voler essere resi contingenti e rendere contingente tutto ciò che ti circonda. È una dimostrazione designata per separarti dagli altri, nell'interesse di una universalità ridotta a una proprietà privata che non è tua, che è la finzione del tuo stesso vantaggio. L'opportunismo non vede in altro modo, non ha alternativa, ma separa sé stesso dalla propria visione, dalla sua abilità di vedere il futuro della propria sopravvivenza in questo tumulto contro coloro che non possono immaginare di sopravvivervi (anche se devono farlo tutto il tempo). Coloro che sopravvivono alla brutalità della mera sopravvivenza sono considerati dalla policy privi di visione, rimasti bloccati in un modo di vivere essenzialista, e nei casi più estremi, senza interessi, da un lato, e incapaci di disinteressamento

dall'altro. Ogni enunciato della policy, indipendente-
mente dal suo intento o contenuto, è prima di tutto una
dimostrazione dell'abilità di stare vicino ai vertici della
gerarchia dell'economia postfordista.

In quanto operazione dall'alto, progettata al fine di frammentare i mezzi di riproduzione sociale e di renderli
direttamente produttivi per il capitale, la policy deve
innanzitutto occuparsi del fatto che la moltitudine è già
produttiva per sé stessa. Questa immaginazione produttiva è il suo talento, la sua impossibile, per quanto materiale, testa collettiva. E questo è un problema, perché i
piani sono in corso, le operazioni nere sono in atto, e
negli undercommons tutta l'organizzazione è fatta. La
moltitudine usa ogni momento di quiete, ogni tramonto,
ogni momento di preservazione militante, per pianificare
insieme, per promuovere, per comporre nel/il suo tempo
surreale. Per la policy è difficile negare direttamente questi
piani, ignorare queste operazioni, fingere che quella che
sono in movimento hanno bisogno di fermarsi e di avere
una visione; per la policy è difficile affermare che le comunità di base, per fuggire, hanno bisogno di credere nella
fuga. E se questo per la policy è difficile, allora lo è anche il
passo successivo e cruciale: instillare il valore della contingenza radicale, istruire alla partecipazione al cambiamento
dall'alto. Di sicuro, alcuni piani possono essere destituiti
dalla policy – piani nati più scuri del blu,[11] piani dalla
parte del crimine, piani per amore. E tuttavia la maggior

11  Riferimento al brano *We the People Who Are Darker than Blue* (1970)
di Curtis Mayfield.

parte richiederà, invece, un altro approccio al comando. Come cerca, allora, la policy di frammentare questi mezzi, questa preservazione militante, tutta questa pianificazione? Dopo la diagnosi secondo cui c'è qualcosa di profondamente sbagliato in chi pianifica, viene la prescrizione: aiuto e correzione. La policy aiuterà. La policy aiuterà con il piano e, ancora di più, la policy correggerà coloro che pianificano. La policy scoprirà ciò che non è stato ancora teorizzato, ciò che non è ancora completamente contingente e, cosa più importante, ciò che non è ancora leggibile. La policy è correzione, una correzione che si forza con la violenza meccanica su chi è scorretto, su chi non è corretta, su coloro che non sanno di essere alla ricerca della propria correzione. La policy si distingue dalla pianificazione facendo distinzione tra coloro che risiedono nella policy e aggiustano le cose e coloro che dimorano nella pianificazione e devono essere aggiustate. Questa è la prima regola della policy. Aggiusta gli altri. Estendendo il lavoro di Michel Foucault, potremmo dire di questa regola che la preoccupazione che la accompagna è quella del buon governo, di come fissare le altrǝ in una posizione di equilibrio, anche se oggi questo richiede una costante ricalibrazione. Eppure, gli oggetti di questo costante aggiustamento provocano tale attenzione semplicemente perché non vogliono affatto governare, figuriamoci essere governati. Separare questi mezzi di pianificazione, e quindi determinarli in modi ricombinati e privatizzati, è sia l'obiettivo necessario che la strumentalità della policy in quanto comando. Vuole distruggere tutte le forme di preservazione militante, interrompere il movimento di riposo sociale – in cui il piano successivo rimane sempre potenziale – con un sogno di potenza insediata. Ora cambiamento significa questo, la policy serve a questo, perché invade il regno della riproduzione sociale dove la lotta infuria, come aveva notato Leopoldina Fortunati tre decadi fa. E poiché una tale policy emerge material- mente dall'opportunismo postfordista, la policy deve permettere, in modo ottimale, a ogni suo delegato di trarre vantaggio dalla propria opportunità e fissare le altrǝ come altrǝ, come coloro che non hanno solo commesso un errore di pianificazione (o, di fatto, un errore piani- ficando), ma che sono essǝ stessǝ dalla parte errata. E dalla prospettiva della policy, di questo opportunismo postfordista, c'è davvero qualcosa di sbagliato in coloro che pianificano insieme. Sono fuori dai cardini – invece di assumere costantemente la loro posizione nella contin- genza, ricercano solidità in un luogo mobile da cui piani- ficare, qualche rifugio in cui immaginare, qualche amore su cui contare. Anche in questo caso, non si tratta solo di un problema politico dal punto di vista della policy, ma anche di un problema ontologico. Nel toccare la terra sotto i loro piedi, e nel trovare una fuga anti- e ante- contingente quando li poggiano a terra, le differenze scap- pano nelle proprie profondità esteriori, segnalando l'es- senzialismo problematico di coloro che pensano e agiscono come se fossero qualcosa in particolare, anche se allo stesso tempo quel qualcosa è, dalla prospettiva della policy, qualsiasi cosa dicono che sia, che è niente in particolare.

Per far uscire queste pianificatrici dal problema dell'es- senzialismo, questa fissità e quiescenza coreogra- fiche, questa sicurezza e flessione da linea di basso, devono arrivare a immaginare che possono essere di più, possono fare di più, possono cambiare e possono essere cambiate. Dopotutto, continuano a fare piani, e i piani falliscono per questione di policy. I piani devono fallire, perché i pianificatori devono fallire. I pianificatori sono statici, essenziali, sopravvivono appena. Non vedono in modo chiaro. Sentono voci. Mancano di prospettiva. Non riescono a vedere la complessità. Per i delegati, chi pianifica non ha visione, non una speranza reale per il futuro, ma solo un piano, un piano effettivamente esistente qui e ora.

Hanno bisogno di speranza. Hanno bisogno di visione. Hanno bisogno di avere i loro sguardi elevati sopra i piani furtivi, sopra le proiezioni notturne delle loro vite disperate. Hanno bisogno di visione perché, secondo la prospettiva della policy, c'è troppa oscurità per vedere lì dentro, nel cuore nero degli undercommons. Puoi sentire qualcosa, percepire qualcosa che è presente nel proprio farsi. Ma i delegati possono portare speranza e la speranza può elevare chi pianifica e i loro piani, i mezzi di riproduzione sociale, al di sopra del terreno, nella luce, fuori dalle ombre, via da quegli oscuri sensi. I delegati fissano le altre non in un'imposizione sui sé, ma nell'imposizione dei sé, come oggetti di controllo e di comando, sia se ipotizzati come capaci che come incapaci, di un proprio io. Sia che manchino di coscienza o di politica, di utopismo o di senso comune, la speranza è arrivata.

Dopo essere state portate alla luce e dentro la loro nuova visione, le pianificatrici diventeranno partecipanti. E a loro verrà insegnato di rifiutare l'essenza per la contingenza, come se pianificazione e improvvisazione, flessibilità e fissità, complessità e semplicità fossero opposte all'interno di un'imposizione che non prevede altra scelta se non quella di abitare, come in una casa in esilio dove la policy sequestra la sua stessa immaginazione, in modo che le partecipanti possano essere al sicuro le une dalle altre. È fondamentale che le pianificatrici scelgano di partecipare. La policy è uno sforzo di massa. Gli intellettuali scriveranno articoli sui giornali, i filosofi terranno conferenze su nuove utopie, i blogger dibatteranno e i politici scenderanno a compromessi qui, dove il cambiamento è l'unica costante della policy. Partecipare al cambiamento è la seconda regola della policy.

Ora la speranza è un orientamento verso questa partecipazione al cambiamento, partecipazione come cambiamento. Questa è la speranza che la policy fa scivolare come gas lacrimogeno negli undercommons. La policy non solo cerca di imporre questa speranza, ma la mette anche in atto. Coloro che dimorano nella policy lo fanno non solo invocando la contingenza, ma cavalcandola e, quindi, in un certo senso dimostrandola. Coloro che dimorano nella policy sono preparati. Sono comprensibili per il cambiamento, suscettibili di cambiamento, si prestano al cambiamento. La policy non è tanto una posizione quanto una disposizione, una disposizione verso l'esposizione. Ecco perché la principale manifestazione della policy è la governance.

La governance non deve essere confusa con il governo o la governamentalità. La governance è, innanzitutto, una nuova forma di espropriazione. È la provocazione di un certo tipo di messa in mostra, una messa in mostra di interessi che appare come disinteressamento, una messa in mostra di convertibilità, una messa in mostra di leggibilità. La governance è una strumentalizzazione della policy, un insieme di protocolli di deputazione, dove simultaneamente metti all'asta e fai offerte su te stesso, dove il pubblico e il privato si consegnano alla produzione postfordista. La governance è il raccolto dei mezzi di riproduzione sociale, ma appare come un insieme di atti di volontà, e quindi come istinto di morte, di quello che si è raccolto. Poiché il capitale non può conoscere direttamente l'affetto, il pensiero, la socialità e l'immaginazione che costituiscono i mezzi sottocomuni della riproduzione sociale, deve invece fare prospezione di queste cose per estrarle e astrarle come lavoro. Tale prospezione, che è la vera bio-prospezione, cerca di rompere un'integrità che è stata preservata in modo militante. La governance, l'offerta volontaria ma dissociativa di interessi, la partecipazione volontaria alla privacy generale e alla privazione pubblica, conferisce al capitale questa conoscenza, questa capacità di produrre ricchezza. La policy formula questa offerta, che si manifesta violentemente come una provocazione morale. Quelli che aspirano a correggere e quelli che vorrebbero essere corretti convergono intorno a questo imperativo di sottomissione, che si svolge costantemente non solo in quella gamma di strutture correttive che Foucault aveva analizzato – le prigioni, gli ospedali, i manicomi – ma anche nelle aziende, nelle università e nelle Ong. Questa convergenza non è data solo nelle strutture e negli affetti di una guerra interminabile, ma anche nei processi brutali e nei trattati perpetui di pace. Nonostante le proprie speranze per una universalità dell'esclusione, la governance è per gli iniziati, per chi sa articolare gli interessi in modo disinteressato, per chi vota e sa perché vota (non perché qualcuno è nero o donna, ma perché lui, o lei, è intelligente), per chi ha un'opinione e vuole essere preso sul serio da gente seria. Nel frattempo, la policy deve continuare a perseguire la sfera quotidiana dei piani segreti di dominio pubblico. La policy pone il curriculum contro lo studio, lo sviluppo infantile contro il gioco, il capitale umano contro il lavoro. Propone l'avere una voce al posto del sentire voci, l'amicizia dei social network contro quella del contatto fisico. La policy pone la sfera pubblica, o la sfera contro-pubblica, o la sfera pubblica nera, contro l'occupazione illegale di ciò che è stato privatizzato in modo illegittimo.

La policy non è l'uno contro i molti, il cinico contro il romantico, o il pragmatico contro chi vive di principi. È semplicemente una visione senza fondamento, intrecciata nel tessuto coloniale. È contro ogni conservazione, contro ogni riposo, contro ogni forma di riunione – come cucinare, bere e fumare insieme – se tutte queste cose conducono al *marronage*. La visione della policy consiste nel rompere qualcosa per aggiustarla, nel farla andare via aggiustandola, nel fabbricare ambizione per darla ai tuoi figli. La speranza della policy risiede nel fatto che ci sarà più policy, più partecipazione, più cambiamento. Ma c'è anche un pericolo in tutta questa partecipazione, un pericolo di crisi. Quando coloro che pianificano insieme cominciano a partecipare senza essere stati prima aggiustati, questo porta alla crisi. Una partecipazione senza entrare completamente nella luce accecante di questo illuminismo offuscato – senza famiglie perfettamente funzionanti e responsabilità finanziaria, senza rispetto per la regola della legge, senza distanza e ironia, senza sottomissione alla regola dell'*expertise* – così come una partecipazione che è troppo rumorosa, troppo grassa, troppo amorevole, troppo piena, troppo fluente, troppo spaventosa: tutto questo porta alla crisi. La gente è in crisi. Le economie sono in crisi. Stiamo affrontando una crisi senza precedenti, una crisi di partecipazione, una crisi di fede. C'è qualche speranza? Sì, c'è, dicono i delegati, se possiamo restare uniti, se possiamo condividere una visione di cambiamento. Per la policy, ogni crisi nella produttività della contingenza radicale è una crisi nella partecipazione, ovvero, una crisi causata dalla partecipazione sbagliata di coloro che (sono) sbaglia(tə)no. Questa è la terza regola della policy.

La crisi del credito causata dai debitori *subprime*, la crisi razziale nelle elezioni Usa del 2008 prodotta dal reverendo Wright e Bernie Mac, la crisi mediorientale prodotta da Hamas, la crisi dell'obesità prodotta da chi mangia in modo malsano, la crisi ambientale prodotta da cinesi e indiani: queste sono tutte istanze di una partecipazione sbagliata e non corretta. Il costante materializzarsi della pianificazione in tale partecipazione è semplicemente l'inevitabilità della crisi, secondo i delegati che, come correttivo, prescrivono speranza e fiducia per e nella correzione. Dicono che la partecipazione deve essere speranzosa, deve avere visione, deve accogliere il cambiamento; che coloro che partecipano devono essere modellati, in una imposizione generale di auto-modellamento, in qualità di agenti di cambiamento speranzosi, visionari. Quando il partecipante celebra la loro libertà confinata nella zona d'impresa – salvaguardando quella contingenza trattenuta dove il modellamento e la correzione del sé e degli altri sono sempre in automatico – diventa l'immagine allo specchio del delegato.

I delegati guideranno il cammino verso cambiamenti concreti di fronte alla crisi. Sii intelligente, dicono. Credi nel cambiamento. Questo è quello che stavamo aspettando. Smettila di criticare e offri soluzioni. Crea posti di blocco e offri workshop. Controlla i documenti di identità e dai consigli. Distingui tra il desiderio di correggere e quello di pianificare con altre persone. Diffida con timore della preservazione militante e cercala spietatamente, in un undercommons di mezzi senza fini, di amore tra le cose. È ora giunto il momento di dichiararti, e così facendo, di formarti correttamente come colui che è deputato a correggere le altrə. È ora giunto il momento, prima che si faccia nuovamente notte. Prima di cominciare a cantare un'altra fantasia mezza illetterata. Prima di far risuonare quell'amplificazione continua di fondo, quelle operazioni al limite del morbido centro del ritmo normale. Prima che qualcuno dica: uniamoci e prendiamoci della terra. Ma non siamo intelligenti. Pianifichiamo. Pianifichiamo di restare, di sferrare un colpo e poi rapidamente spostarci. Pianifichiamo di essere comunistə nei confronti del comunismo, non ricostruitə nei confronti della ricostruzione, assolutə quanto all'abolizione, qui, in quell'altro, nel luogo sottocomune, come quell'altro, la cosa sottocomune degli undercommons, che preserviamo abitandovi. La policy non può vederla, non può leggerla, ma se hai un piano essa diventa intelligibile.

Fantasia nella stiva

## LOGISTICA, O DEL TRASPORTO MARITTIMO

Lavorare oggi significa che ci viene chiesto sempre più di fare senza pensare, sentire senza emozioni, muoverci senza attrito, adattarci senza discutere, tradurre senza pausa, desiderare senza scopo, connettere senza interruzione. Solo poco tempo fa, molti di noi dicevano che il lavoro fosse passato attraverso il soggetto al fine di sfruttare le nostre capacità sociali, per spremere più forza lavoro dal nostro lavoro. L'anima discendeva nell'officina, come scriveva Franco 'Bifo' Berardi o, come suggeriva Paolo Virno, ascendeva come nel virtuosismo di un oratore senza spartito. Più prosaicamente, abbiamo sentito proporre l'imprenditore, l'artista e l'investitore tutti come nuovi modelli di soggettività in grado di favorire l'incanalamento dell'intelletto generale. Ma oggi ci viene da chiederci: perché preoccuparsi proprio del soggetto, perché passare in rassegna degli esseri del genere per raggiungere l'intelletto generale? E perché limitare la produzione ai soggetti i quali, dopotutto, sono una così piccola parte della popolazione, una storia così piccola dell'intellettualità di massa? Ci sono sempre stati altri modi per mettere i corpi al lavoro, persino per mantenere il capitale fisso di tali corpi, come direbbe Christian Marazzi. E ad ogni modo, per il capitale il soggetto è diventato troppo ingombrante, troppo lento, troppo incline all'errore, un soggetto che controlla troppo, per non parlare di una forma di vita troppo rarefatta, troppo specializzata. Eppure, non siamo noi a porre questa domanda. Questa è la domanda automatica, insistente e determinante del campo della logistica. La logistica vuole fare a meno del soggetto. Ecco il sogno di questa scienza capitalista nuovamente dominante. Questa è la pulsione della logistica e degli algoritmi che alimentano quel sogno, della stessa ricerca algoritmica che Donald Rumsfeld, infatti, citava nel suo anonimo discorso deriso e ignorato, un discorso monotono che annunciava il concepimento di una guerra dei droni. Questo perché i droni non sono sprovvisti di equipaggiamento per proteggere i piloti americani, ma perché pensano troppo velocemente per i piloti americani.

Oggi, il campo della logistica insegue in modo serrato l'intelletto generale nella sua forma più concreta, ovvero nella sua forma potenziale, nella sua informalità, quando ogni tempo e ogni spazio e ogni cosa potrebbero verificarsi, potrebbero essere la prossima forma, la nuova astrazione. La logistica non si accontenta più di diagrammi o di flussi, di calcoli o di previsioni. Vuole essa stessa vivere contemporaneamente nel concreto, nello spazio, nel tempo e nella forma. Dobbiamo chiederci dove abbia preso questa ambizione e come sia possibile che sia arrivata a immaginare di poter dimorare nel – o così vicino al – mondo concreto e materiale nella sua informalità, la cosa prima che ci sia qualsiasi cosa. Come si propone di dimorare nella non-cosa, e perché?

L'ascesa della logistica è rapida. Infatti, leggere oggi della logistica significa leggere di un campo in piena espansione, un campo vittorioso. Nelle scienze militari e nell'ingegneria, ovviamente, ma anche negli studi di economia aziendale e nella ricerca sul management: la logistica è ovunque. Oltre che in queste classiche scienze capitaliste, la sua ascesa è riecheggiata astoricamente nei campi emergenti della filosofia orientata agli oggetti e della neuroscienza cognitiva, dove le condizioni logistiche della produzione della conoscenza, ma non gli effetti, passano inosservate. Nelle scienze militari il mondo è stato messo sottosopra. Tradizionalmente, la strategia guidava e la logistica seguiva. I piani di battaglia dettavano le linee di rifornimento. Ora non più. La strategia, alleata e partner tradizionale della logistica, è oggi incredibilmente ridotta a danno collaterale nell'impulso della logistica per il dominio. In una guerra senza fine, una guerra senza battaglie, solo l'abilità di continuare a combattere, solo la logistica conta.

E così, anche l'innovazione aziendale è diventata logistica e non più strategica. L'innovazione aziendale, di sicuro, non viene dall'azienda. Più spesso deriva dalle strategie militari di resistenza ai propri eserciti, trasferite gratuitamente all'azienda. Un tempo, ciò consisteva nel trasferire innovazioni quali la linea, la formazione e la catena di comando dalle scienze militari alla fabbrica e all'ufficio, o trasferire la propaganda psicologica e di guerra alle relazioni umane e al marketing. Erano trasferimenti gratuiti di innovazione strategica che esigevano dai manager la loro istanziazione e il loro mantenimento.

Ora non più. Come testimonia ogni cosa, da internet al container, in linea con le guerre fredde e le guerre al terrore che portano sempre al fallimento della strategia, sono i trasferimenti logistici gratuiti a contare. La containerizzazione stava fallendo come innovazione economica, finché il governo statunitense cominciò a usare i container per cercare di rifornire le sue truppe, nel sud-est asiatico, di armi, alcol e droga a sufficienza da impedire loro di uccidere i propri ufficiali, per continuare a mandare avanti una guerra che non poteva essere vinta strategicamente. Quelli che sognavano internet, se non quelli che l'hanno costruito, erano infatti preoccupati della corruzione dell'intelligence che lo scoppio della democrazia avrebbe reso possibile, come pensava la Commissione Trilaterale, negli anni '70. Arpanet, come network di raccolta di informazioni, non poteva lasciarsi distrarre dal sesso e dall'ideologia, né tantomeno da una loro vincente combinazione. Non si sarebbe lasciato distrarre dallo scoppio della democrazia. E presumeva un'interminabile accumulazione di informazioni per un'interminabile guerra che molti non avrebbero voluto combattere. Alla sfida di Toni Negri – mostrami un'innovazione economica e io ti mostrerò una ribellione operaia – potremmo aggiungere una preistoria, lo stato che teme la propria forza lavoro.

La containerizzazione stessa rappresenta quella che dovrebbe essere denominata come la prima ondata di innovazione normativa in qualità di logistica, che si muove in tandem con la prima ondata di finanziarizzazione, l'altra risposta del capitalismo a queste insurrezioni, oltre alla repressione violenta. Infatti, la logistica e la finanziarizzazione hanno lavorato insieme in entrambe le fasi dell'innovazione, con la prima che, in linea generale, lavorava sulla produzione attraverso i corpi, e con la seconda che rinnovava il soggetto della produzione. Delle due strategie di resistenza alla ribellione, la finanziarizzazione è forse quella meglio conosciuta, con una prima fase in cui svende le fabbriche e i beni statali, e una seconda in cui vende case e banche soltanto per, in tutte e due le istanze, riaffittarle a credito in una sorta di prestito su pegno globale. Come suggeriscono in modi diversi Randy Martin e Angela Mitropoulos, ciò ha avuto l'effetto desiderato di riorganizzare tutti i soggetti, legati a tali oggetti dati in pegno, in estratti conto che parlano e camminano; soggetti che contraggono il loro contagio finanziario producendo, alla fine, un'entità dipendente dagli affetti finanziari in un modo che la rende più oggetto logistico che soggetto strategico.

Ma nel frattempo, la logistica stessa non aveva un interesse duraturo in questo soggetto finanziarizzato o nella sua riorganizzazione. La logistica era alla ricerca di un premio maggiore, qualcosa che l'aveva sempre perseguitata ma che divenne più palpabile nella doppia ondata che ha prodotto le popolazioni della logistica, quando il container giunse a comando delle onde, delle strade e delle ferrovie con informazioni, affetti e significati sparati attraverso la carne come attraverso altri oggetti, ancora su una scala e in una forma impossibili da ignorare. Il premio sembrava quasi a portata di mano. Di certo, questa fantasia di ciò che Marx chiamò il soggetto automatico, questa fantasia per cui il capitale può esistere senza forza lavoro, non è affatto una novità, ma è continuamente esplorata nel nesso tra il capitale finanziario, la logistica e il terrorismo della personalità sponsorizzata dallo stato, che è istanziata nelle varie cerimonie di conferimento e sottrazione. Oggi, questa fantasia è contrassegnata con il termine di capitale umano. Come propone Michel Feher, il capitale umano apparirebbe come una categoria strategica coinvolta in una strategia di investimento e speculazione sul sé. Tuttavia, come ci ricorda Marina Vishmidt, il soggetto automatico del capitale, che il capitale umano cerca di emulare, è un soggetto svuotato e concentrato nel suo svuotamento, proprio attraverso l'espulsione della negatività del lavoro e l'esilio di coloro che, essendo meno e più di uno, sono la sua cifra, il suo altro, il suo doppio: i portatori di una generatività senza riserva. Adesso, il capitale umano è il sostituto del soggetto automatico, che porta avanti il suo impegno con le abilità quotidiane della finanziarizzazione e della logistica, entrambe le quali agiscono su di esso come se fosse un impedimento al movimento, e non un veicolo in movimento. Il capitale umano, in altre parole, si discosta dal soggetto strategico del neoliberalismo, generalizzando attraverso l'auto-inflizione la deviazione che il soggetto impone ritualmente ai suoi interni esiliati, e facendo di sé stesso un oggetto poroso che ancora parla come un soggetto, alla stregua di una realizzazione burlesca del sogno filosofico della riconciliazione finale. È per questa ragione che il capitale umano non può essere definito strategicamente o, a dire il vero, gestito in alcun senso tradizionale e pertanto, a sua volta, possiamo vedere lo svuotamento del campo della strategia d'impresa, incluso il declino del master in *business administration*, e la nascita degli «studi sulla leadership». Oggi, questi ultimi gravano sia sugli scaffali delle librerie che su chi studia economia, ma la leadership non può gestire nulla. È l'evacuazione della gestione da parte della strategia, in un disperato tentativo di assicurare il controllo del guadagno privato da una forma di produzione sotto il capitale che sta diventando automatica e, dunque, non così tanto ingestibile quanto autogestita. Quello che qui si apre è un corso nella e per la logistica generale. Leggere la logistica è leggere del desiderio, dichiarato, di sbarazzarsi di ciò che la logistica chiama «l'agente di controllo», per liberare il flusso delle merci dal «tempo umano» e dall'«errore umano». L'avido algoritmo del commesso viaggiatore richiede ancora un intervento strategico, perché non può evolversi quando emergono nuovi problemi, a meno che non si consideri come evoluzione la capacità del contenuto di distruggere, o l'incapacità che permette l'autodistruzione. Non può risolvere, ad esempio, il problema che si presenta quando si viaggia in Canada, dove le strade scompaiono sotto la neve generando nuove difficoltà al più efficiente degli autotreni. Qui è dove gli algoritmi genetici ed evoluzionistici entrano spesso in una veste più lamarckiana che darwiniana. Ma su una cosa si è d'accordo: la strategia, adesso, sta bloccando la strada come sicuramente la neve blocca la strada per Sudbury. Per la logistica, il soggetto di qualsiasi cosa, come lo chiama Michael Hardt, deve lasciare il passo all'oggetto di qualsiasi cosa. I popoli della logistica saranno creati per fare senza pensare, sentire senza emozioni, muoversi senza attrito, adattarsi senza fare domande, tradurre senza pausa, connettere senza interruzione, o saranno smantellati e disabilitati come corpi, nello stesso modo in cui sono assemblati da quello che Patricia Clough chiama razzismo della popolazione. Da questa posizione, la logistica è padrona di tutto quello che sonda. E tuttavia, quello che potrebbe apparire come una navigazione tranquilla, come acque calme, come essere piatto, non è così indisturbato. L'incertezza circonda la tenuta delle cose, e la logistica scopre troppo tardi – nel modo descritto da Luciana Parisi secondo cui l'algoritmo genera la sua propria critica – che «il mare non ha una porta sul retro». E non si tratta solo della classe dei greedoidi, gli individui possessivi del mondo algoritmico, ma anche di questi nuovi algoritmi genetici ed evoluzionistici, la cui vera premessa è che debba esserci qualcosa di più, qualcosa in quello che essi hanno colto, che rimane oltre la loro portata. Questi algoritmi sono definiti da quello che ancora non sono e da quello che non potranno mai diventare pienamente, nonostante i sogni della loro eugenetica materialista. Ogni tentativo da parte della logistica di disperdere la strategia, di bandire il tempo umano, di connettere senza passare per il soggetto, di assoggettare senza gestire le cose, resiste a qualcosa che gli stava già resistendo, ovvero la resistenza che fonda la logistica moderna. Preoccupata di spostare gli oggetti e muoversi attraverso gli oggetti, la logistica si rimuove dall'informalità che fonda sia i suoi oggetti che sé stessa. C'è qualche/cosa di cui la logistica è sempre alla ricerca.

## LOGISTICALITÀ, O DELLE VITE RUBATE

Da dove ha preso la logistica questa ambizione a connettere corpi, oggetti, affetti, informazioni, senza soggetti, senza la formalità dei soggetti, come se potesse regnare sovrana sull'informale, sul concreto e sull'indeterminazione generativa della vita materiale? La verità è che la logistica moderna è nata in quel modo. O, più precisamente, è nata in resistenza a, data come acquisizione di, questa ambizione, questo desiderio e questa pratica dell'informale. La logistica moderna fu fondata con il primo grande movimento di merci, quelle che potevano parlare. Fu fondata nella tratta atlantica degli schiavi, fu fondata contro la schiava atlantica. Nata innanzitutto con la rottura rispetto all'accumulazione saccheggiatrice degli eserciti, e poi con l'accumulazione primitiva del capitale, la logistica moderna è stata segnata, bollata e marchiata a fuoco dal trasporto della manodopera-merce quale non era, e quale mai sarebbe stata successivamente, a prescindere da chi stava in quella stiva o cosa era containerizzato in quella nave. Dall'equipaggio eterogeneo e variegato che proseguiva lungo le scie rosso sangue delle navi schiaviste, alle prigioniere trasportate nelle colonie di insediamento, alle migrazioni di massa per via dell'industrializzazione nelle Americhe, alla schiavitù a contratto dall'India, dalla Cina e da Giava, agli autotreni e alle imbarcazioni diretti a nord attraverso il Mediterraneo o il Rio Grande, ai biglietti di sola andata dalle Filippine agli stati del Golfo o dal Bangladesh a Singapore, la logistica è sempre stata il trasporto della schiavitù, non lavoro «libero». La logistica rimane, come sempre, il trasporto degli oggetti (con)tenuto nel movimento delle cose; e il trasporto delle cose rimane, come sempre, l'ambizione irrealizzabile della logistica.

La logistica non poteva contenere quello che aveva relegato nella stiva. Non poteva. Robert F. Harney, lo storico delle migrazioni «dal basso», diceva che una volta attraversato l'Atlantico non saresti mai più stato dal lato giusto. B Jenkins, una migrante mandata dalla storia, quando accoglieva i suoi studenti, le sue pantere, nel piano interrato di casa, lo illuminava con un volteggio in cerchio spezzato. Nessun punto fisso era sufficiente, nessun punto fisso era giusto. Lei, le loro madri e i loro padri, avevano arato gli stessi campi, avevano divorato le stesse strade deserte, avevano pre-occupato lo stesso sindacato, Culinary Union. Harney teneva bene a mente le migrazioni di massa dal sud e dall'est Europa alla fine del 19° secolo, migrazioni fuori di sé nell'annunciazione della modernità logistica. Nessun punto fisso. Se la merce lavoro fosse riuscita ad avere un punto fisso, un punto fisso dal quale la propria abolizione potesse rivelarsi necessaria, cosa ne sarebbe stato allora di coloro che erano stati già aboliti e che erano rimasti? E se il proletariato era posizionato in un punto specifico nei circuiti del capitale, un punto nel processo di produzione dal quale aveva una visione peculiare della totalità capitalista, cosa ne era di coloro che erano posizionati in ogni punto, che vuole dire in nessun punto, nel processo di produzione? Cosa ne era di coloro che non erano solo lavoro ma merce, non solo in produzione ma in circolazione, non solo in circolazione ma in distribuzione come proprietà, non solo proprietà ma proprietà che riproduceva e realizzava sé stessa? Il punto fisso di nessun punto fisso, ovunque e da nessuna parte, del mai e dell'a(v)venire, della cosa e della non-cosa. Se si pensava che il proletariato fosse capace di far saltare in aria le fondamenta, che cosa si pensava dei deportati, delle stivate e di ciò che era containerizzato? Che cosa poteva fare questa carne? La logistica, in qualche modo, sa che non è vero che non sappiamo ancora cosa possa fare la carne. Esiste una capacità sociale di istanziare più e più volte l'esaustione del punto fisso come terreno sottocomune, che la logistica conosce come inconoscibile, che calcola come un'assenza che non può avere, ma che desidera avere fortemente, che non può, ma desidera fortemente essere o, almeno, esservi attorno, accerchiarla. La logistica percepisce il senso di questa capacità come non mai – questo lascito storico insorgente, questa storicità, questa logisticalità, delle vite rubate.

La modernità è suturata da questa stiva. Questo movimento di cose, di oggetti non ancora formati, di soggetti deformati, della non-cosa ancora e già. Questo movimento della non-cosa non è solo l'origine della logistica moderna, ma l'annunciazione della modernità stessa, e non solo l'annunciazione della modernità stessa, ma quella profezia insorgente che tutta la modernità avrebbe avuto nel suo cuore, nella propria stiva, questo movimento di cose, questa vita sociale interdetta, messa fuori legge, della non-cosa. Il lavoro di Sandro Mezzadra e Brett Neilson sui confini, per esempio, ci ricorda che la proliferazione delle frontiere tra gli stati, negli stati, tra le persone, nelle persone, è la proliferazione di stati di apolidia. Questi confini avanzano a tentoni verso il movimento delle cose, picchiano sulle porte dei container, scalciano contro i rifugi migranti, attaccano gli accampamenti, gridano contro le fuggitive, cercando tutto il tempo di imbrigliare questo movimento di cose, questa logisticalità. Ma ciò non avviene, i confini non hanno coerenza, perché il movimento delle cose non avrà coerenza. Questa logisticalità non sarà coerenza. Come dice Sara Ahmed, è disorientamento queer, l'assenza di coerenza – ma non delle cose – nella commovente presenza dell'assoluto nulla. Come ci insegna Frank B. Wilderson III, l'imperativo estemporaneo è, pertanto: «restare nella stiva della nave, malgrado le mie fantasie di fuga».

Ma questo vuol dire che ci sono furtivi voli di fantasia nella stiva della nave. La fuga musicale ordinaria e la volata fuggitiva del laboratorio linguistico, luogo d'incontro brutalmente sperimentale della fonografia nera. La totalità paraontologica è in divenire. Presente e disfatta in presenza, la nerezza è uno strumento in divenire. *Quasi una fantasia*[12] nella sua brusca deflessione paralegale, la sua treccia follemente lavorata, l'immaginazione non produce altro se non eccesso e fuga di senso

---

12 In italiano nel testo. *Quasi una fantasia* indica sia una delle composizioni musicali più famose di Beethoven *(Sonata quasi una fantasia*, conosciuta anche come *Sonata n. 14* o *Sonata al chiaro di luna)* che il titolo di un saggio di Theodor Adorno del 1963 sulla musica come metodo filosofico, contenuto nella raccolta a cura di Gianmario Borio, *Immagini dialettiche. Scritti musicali 1955-65* (Einaudi, 2004).

nella stiva. Ricordi i giorni della schiavitù? Nathaniel Mackey dice giustamente: «Il mondo sempre fu dopo / altrove, / no / in nessun modo dove fummo / fu là». No, in nessun modo dove siamo è qui. Dove fummo, dove siamo, è quello che intendevamo per «mu»,[13] che Wilderson, a ragione, avrebbe chiamato «il baratro della nostra soggettività».

Ed è così che rimaniamo nella stiva, nella rotta sincopata e fuggitiva, come se stessimo entrando ripetutamente nel mondo rotto, in rovina, per (rin)tracciare la compagnia visionaria alla quale unirci. Quest'isola contrappuntistica, dove siamo abbandonati in cerca di *marronage*, dove indugiamo nell'emergenza senza stato, nella nostra cel(lul)a lisata e dislocazione stivata, il nostro punto fisso spazzato via e la nostra cappella lirata, in (nello) studio della nostra varianza nata in mare, mandata dalla sua preistoria nell'arrivanza senza arrivo, come una poetica leggendaria di anormale articolazione, dove la relazione tra giuntura e carne è la distanza piegata di un momento musicale che è enfaticamente e palpabilmente impercettibile e, dunque, difficile da descrivere. Avendo sfidato la degradazione, il momento diventa una teoria del

---

13 Nella trilogia *consent to not be a single being*, e in particolare in *The Universal Machine* (2018, pp. 202-3), Fred Moten offre una suggestiva lettura di *Splay Anthem* (2006) di Nathaniel Mackey e di «mu», radice polisemica di *mu*sica, *my*thos, *mu*sa, *mu*tezza, ma anche di un continente sottomarino simile ad Atlantis, che un tempo si pensava fosse nel Pacifico (e che rievoca anche il primo brano di *Atlantis*, eclettico album di Sun Ra). «Mu» allude infine a *mu*ni *bird* che, come ricorda Mackey (in *Sound and Sentiment, Sound and Symbol*, «Callaloo», 1987), è l'uccello mitologico dal becco ricurvo che simboleggia l'origine della musica nella società kaluli della Papua Nuova Guinea.

momento, del sentire di una presenza che è inafferrabile nel modo in cui tocca. Questo momento musicale – il momento dell'avvento, della natività in tutta la sua terribile bellezza, nell'alienazione che è sempre già nata nella e come *parousia* – è una descrizione/teoria precisa e rigorosa della vita sociale di coloro che erano deportate nella stiva, il terrore dello stato di gioia nelle sue pieghe infinitamente raddoppiate. Se prendi in mano gli strumenti irrimediabilmente imprecisi della comune navigazione, il calcolo mortale delle macchine differenziali, degli orologi e dei prospetti marittimi delle maledette assicurazioni, potresti imbatterti in uno di questi momenti per circa due minuti e mezzo all'interno di *Mutron,* un duetto di Ed Blackwell e Don Cherry registrato nel 1982. Riconoscerai il momento da come ti chiederà di pensare alla relazione tra la fantasia e l'essere non-cosa: quello che è erroneamente scambiato per silenzio è, tutto d'un tratto, transustanziale. La brutale interazione tra l'avvento e la camera musicale richiede l'istigazione continua di un'immaginazione ricorsiva, fugata; fare ciò significa abitare un'architettura e la sua acustica, ma abitare come se fosse un approccio dal di fuori; non soltanto risiedere in questa invivibilità, ma anche scoprirla e in essa entrare. Mackey, nella prefazione del suo insostenibilmente stupendo *Splay Anthem,* nel delineare la provenienza e la relazione tra le metà seriali del libro («A ognuna fu dato il suo impeto da un pezzo di musica registrato dal quale prende il suo titolo, *Song of Andoumboulou* dei Dogon, in un caso, *'Mu' First Part* e *'Mu' Second Part* di Don Cherry e di Ed Blackwell, nell'altro») parla di mu in relazione a un volteggiare, uno spiraleggiare, un girare intorno, questa rotondità o rondò che unisce inizio e fine, e al vagito accorato che accompagna l'entrata nella e l'espulsione dalla socialità. Ma le sue parole ti inducono a chiederti se la musica, che non è solo musica, sia mobilitata a servizio di un'eccentricità, una forza centrifuga – la cui intimazione viene affrontata anche da Mackey – segnando l'esistenza estatica della socialità oltre l'inizio e la fine, i fini e i mezzi, là fuori, dove ci si interessa alle cose, a un certo rapporto tra l'essere cosa e non-cosa e la nerezza che performa la sua esaustione in acconsentimento e consensualità non mappate, non mappabili, sottocomuni. La nerezza è il luogo dove l'assoluto essere non-cosa e il mondo delle cose convergono. La nerezza è la fantasia nella stiva, e Wilderson vi fa accesso, perché è uno che non ha nessuna cosa ed è, pertanto, sia più che meno di uno. È deportato e stivato. Siamo deportate e stivati se decidiamo di esserlo, se scegliamo di pagare un costo insostenibile che è inseparabile da un incalcolabile beneficio.

Come riconosceresti l'accompagnamento antifonale alla violenza gratuita – il suono che può essere ascoltato come se fosse in risposta a quella violenza, il suono che deve essere sentito come ciò a cui tale violenza risponde? La risposta, lo smascheramento, è mu, non semplicemente perché nella sua opposizione imposta a qualcosa, la non-cosa è intesa soltanto per velare, come se fosse qualche livrea epidermica, un (qualche) essere (superiore) ed è, quindi, relativa in quanto opposta a ciò che Nishida Kitaro chiamerebbe assoluto; ma perché la non-cosa (questa interazione paraontologica tra la nerezza e l'essere non-cosa, questa socialità estetica delle vite rubate, questa logisticalità) rimane inesplorata, perché non sappiamo cosa vogliamo dire con essa, perché non è né una categoria per l'ontologia né per l'analisi socio-fenomenologica. Cosa significherebbe questa non-cosa, se fosse intesa nel suo improprio rifiuto di termini, dal punto di vista esausto che non è, e che non è il proprio? «Attribuiamo» – dice Fanon – «un'importanza fondamentale al fenomeno del linguaggio e, di conseguenza, consideriamo lo studio del linguaggio essenziale affinché possa fornirci un elemento di comprensione della dimensione dell'essere per gli altri propria dell'uomo nero, dando per inteso che parlare è esistere in assoluto per l'altro». Inoltre, dice che: «[l'] uomo nero possiede due dimensioni: una con i suoi compagni Neri, l'altra con i Bianchi». Ma non si tratta semplicemente di una questione di prospettiva, poiché stiamo parlando di questo essere fuori di sé, radicale, della nerezza, e della sua imposizione dal di fuori, lateralmente, internamente ed esternamente. Il punto fisso, il territorio casa, *chez lui* – la traduzione erronea, fuori luogo, cieca ma acuta di Markman è illuminante, *tra la sua propria*, con il significato di una relazionalità che disloca l'impossibilità già dislocata di casa. Questo stare insieme nel non avere casa, questa interazione di rifiuto di quello che è stato rifiutato, questa apposizionalità sottocomune: può tutto questo essere un luogo dal quale non emerge né l'auto-coscienza né la conoscenza dell'altro, ma una improvvisazione che procede da qualche parte, dall'altra parte di una domanda non posta? Non semplicemente essere tra la sua propria; ma essere tra la sua propria nello spossessamento, essere tra coloro che non possono possedere, coloro che non hanno alcuna cosa e che, non avendo alcuna cosa, hanno tutto. Questo è il suono di una domanda non posta.

Un coro contro acquisizione, canto e gemito e *Sprechge-sang*, babele e balbettio e incomprensibile blateramento, in relax, nei pressi di un ruscello o torrente a Camarillo, cantando a esso, cantando di esso, cantando con esso, affinché l'uccello dal becco ricurvo, l'attacco generativo di *le petit nègre*, la lancia comica e fumettistica dei *little niggers*, il bastone cosmico del linguaggio, il *burnin' and lootin'* del pidgin, il canto dell'Uccello, il canto di Bob, il canto del bardo, il canto al bar, il canto del bambino, il canto B incantatorio, possano preparare alla meditazione delle menti: *minds of the little negro steelworkers*.[14] Dai, prendi questa informazione dura, seriale, questo medley brutalmente bello di carceraria intricatezza, questa fantasticheria di abbracci, di comprensioni e di quello che è tenuto, stretto, nella vicinanza fonica delle stive. Quello spiraleggiare di cui parla Mackey soffre rottura, rovina e contrazione, soffre l'imposizione di angoli razionalizzati irrazionalmente, compartimenti che portano niente se non respiro e mal-tratta-mento in un'intimità catturata, contagiata, degener(izz)ata. Esiste una sorta di propulsione, attraverso la compulsione, contro la padronanza della propria velocità, che rompe sia la ricorsività che l'avanzamento? Qual è il suono di questa fantasticheria? A cosa assomiglia questa apposizione? Cosa rimane dell'eccentricità, dopo che il relè tra perdita

---

14   Riferimento a *Monument to the Minds of the Little Negro Steelworkers*, insieme scultoreo dell'artista Thornton Dial realizzato tra il 2001 e il 2003, che celebra sia le abilità artistiche della popolazione africana-americana che il suo innegabile ruolo, spesso non riconosciuto, nella costruzione della nazione statunitense. L'immagine dell'opera è stata scelta come copertina di *Stolen Life*, il secondo volume della trilogia di Fred Moten.

e restaurazione ha la sua parola o canzone? Nell'assenza di amenità, nell'esaustione, c'è una società di amici dove ogni cosa può unirsi in danza al nero, può congiungersi alle vite rubate, può abbracciare quello che mai fu silenzio. Non le senti sussurrare, l'una il tocco dell'altra?

## APTICALITÀ, O DEL TOCCO COME AMORE

Non essere mai dal lato giusto dell'Atlantico suscita un sentimento instabile, il sentimento di una cosa che turba gli altri. È una sensazione, se con essa decidi di viaggiare, che produce una certa distanza da ciò che è stabilito, da chi si determina nello spazio e nel tempo, collocandosi in una determinata storia. Essere vite deportate significa essere vite (com)mosse da altri, con altre. È sentirsi a casa con chi non ha casa, a proprio agio con chi fugge, in pace con ciò che è perseguitato, in quieto vivere con coloro che acconsentono a non essere una sola cosa. Cose fuorilegge, interdette e intime della stiva, contagio containerizzato, la logistica che esterna la logica stessa per raggiungerti, ma questo non è abbastanza per arrivare alla logica sociale, la *poiesis* sociale, che scorre lungo la logisticalità.

Perché sebbene alcune abilità – di connettere, tradurre, adattare, viaggiare – furono forgiate nell'esperimento della stiva, non ne furono il punto essenziale. Come canta David Rudder: «How we vote is not how we party». Il terribile dono della stiva fu quello di raccogliere sensazioni di spossessamento in comune, creare un nuovo sentire negli undercommons. In precedenza, questa specie di sentire era solo un'eccezione, un'aberrazione, uno sciamano, una strega, un veggente, una poeta tra le altre, che sentiva attraverso altre vite, altre cose. In precedenza, tranne in questi esempi, il sentire era mio o era nostro. Ma nella stiva, negli undercommons di un nuovo sentire, un altro genere di sensazione divenne comune. Questa forma di sentire non era collettiva, non era incline alla decisione, non aderiva né si riattaccava alla colonia, alla nazione, allo stato, al territorio o alla storia storica; né era riposseduta dal gruppo, che non poteva ora sentire come uno, riunificato nel tempo e nello spazio. No, quando Black Shadow canta «la stai sentendo questa sensazione?», sta chiedendo qualcos'altro. Sta chiedendo di un modo di sentire attraverso le altrə, una sensazione per sentire le altrə sentire te. Questo è il sentire insorgente della modernità, la sua carezza ereditata, la sua parola pelle, il suo tocco lingua, il suo discorso respiro, il suo riso mano. Questo è il sentire che nessun individuo sopporta e che nessuno stato tollera. Questo è il sentire che potremmo chiamare apticalità. Apticalità, il tocco degli undercommons, l'interiorità del sentimento, il sentire che quello che deve arrivare è qui. Apticalità, la capacità di sentire attraverso le altrə, affinché possano sentire attraverso te, affinché tu possa sentirlə sentire te; questo sentire delle vite deportate e stivate non è regolato, o almeno non con successo, da uno stato, una religione, un popolo, un impero, un pezzo di terra, un totem. O, forse, potremmo dire che tutte queste cose sono ora ricomposte sulla scia e nella veglia delle vite rubate. Sentire le altrə è qualcosa di non mediato, immediatamente sociale, tra di noi, una nostra cosa, e anche quando ricomponiamo la religione, viene da noi, e anche quando ricomponiamo la razza lo facciamo come donne nere, come uomini neri. Rifiutate queste cose, noi le rifiutiamo per primi nel contenuto, tra il contenuto, giacendo insieme nella nave, nel vagone merci, nella prigione, nel rifugio per migranti. La pelle, contro l'epidermalizzazione, percepisce il tocco. Gettate insieme, toccandoci, l'una con l'altra, le nostre vite hanno visto negarsi ogni sentimento, negarsi tutte le cose che avrebbero dovuto produrre sentimento, famiglia, nazione, lingua, religione, luogo, casa. Sebbene le nostre vite siano state forzate al tocco e costrette a essere toccate, per percepire ed essere percepite in quello spazio di non spazio; nonostante sentimento, storia e casa ci siano stati rifiutati, sentiamo l'una (per) l'altra. Un sentire, un sentimento con la sua propria interiorità, lì sulla pelle, un'anima non più dentro, ma lì affinché tutti possano sentirla, affinché tutte possano (com)muoversi. La musica soul è un mezzo di questa interiorità sulla pelle, il suo rimpianto il lamento per una apticalità rotta, i suoi poteri autoregolamentati l'invito a costruire ancora una sentimentalità insieme, a sentirci ancora reciprocamente, a sentire come facciamo festa. Questa è la nostra apticalità, il nostro tocco d'amore. Questo è amore per le vite rubate, amore come vite deportate.

C'è un tocco, un sentire di cui hai più voglia, che ti libera. Il momento in cui Marx si avvicinò maggiormente all'antagonismo generale fu quando disse: «da ognuno secondo la sua abilità, a ognuno secondo la propria necessità», ma abbiamo letto questo come il possesso dell'abilità e il possesso della necessità. E se avessimo pensato all'esperimento della stiva come all'assoluta fluidità, all'informalità, di questa condizione di necessità e abilità? Se l'abilità e la necessità fossero in una costante interazione e, in realtà, avessimo trovato qualcuno che ci ha diseredato al punto che questo movimento fosse la nostra eredità. Il tuo amore mi rende forte, il tuo amore mi rende debole. E se «quello che è tra i due», il desiderio perso, l'articolazione, fosse questo ritmo, questo esperimento ereditato delle vite stivate nelle acque tormentate di carne ed espressione che potevano afferrare, lasciando andare, abilità e necessità in una ricombinazione costante. Se lui mi (com)muove, mi manda, mi mette alla deriva in questo modo, tra di noi, negli undercommons. Finché lei lo farà, lei non dovrà essere.

Chissà da dove Marx ricevette questa eredità della stiva: da Aristotele che negava il suo mondo schiavistico, o da Kant che parlava ai navigatori, o dall'autoerotismo di Hegel o, semplicemente, dal suo essere brutto, scuro e fuggitivo. Come dice Zimmy, angelo prezioso: «Sai perfettamente che entrambi i nostri progenitori erano schiavi, che non è qualcosa di cui fare ironia». Questo sentire è la stiva che (in cui) permette di spostarci (andiamo!) ripetutamente, per spossessarci dell'abilità, per riempirci di necessità, per darci l'abilità di riempire la necessità, questo sentire. Ascoltiamo il padrino e la vecchia talpa chiamarci per divenire, siano quel che siano gli anni a venire, filosofi del sentire.

Con amore,
S/F

# L'antagonismo generale: intervista con Stevphen Shukaitis

**Stevphen:** Vorrei iniziare la nostra conversazione in un modo piuttosto giocoso e metaforico, con un'idea di Selma James, nella quale mi sono imbattuto di recente. Selma stava descrivendo il consiglio datole da C.L.R. James sulla scrittura: avrebbe dovuto tenere una scatola di scarpe per collezionare idee e pensieri vari. Quando la scatola sarebbe stata piena, avrebbe avuto tutto ciò che le sarebbe servito per scrivere. Se doveste presentare a qualcuno il vostro lavoro collaborativo nella forma di una scatola di scarpe concettuale, cosa ci sarebbe dentro? Cosa ci mettereste là dentro?

**Fred:**     Quando ho letto questa cosa, ho avuto la sensazione che al posto di Selma James avrei chiesto dei chiarimenti su quello che C.L.R. James voleva dire. Una cosa simile che faccio è quella di portarmi in giro dei piccoli quaderni per prendere continuamente appunti. Se non ho i miei quaderni, scrivo gli appunti su pezzi di carta e li infilo in tasca. La cosa divertente è che non la immagino come una scatola di scarpe, perché il 95% delle volte butto giù appunti e basta, e lì rimangono. È più come, ho un pensiero, lo scrivo, e poi non ci penso più. Raramente lo trascrivo anche al computer.

La cosa che mi interessava della domanda, che mi colpisce, specialmente quando penso al lavoro collaborativo con Stefano, è che non c'è bisogno di una scatola di scarpe, in un certo senso, perché ho sempre la sensazione, quando dormo, che lui sia sveglio e stia pensando a qualcosa. E inoltre, lavorare a stretto contatto con mia moglie, Laura, non è tanto come avere una scatola di scarpe in cui butto giù i miei pensieri, quanto come avere una lunga conversazione con alcune persone. Quello che sto cercando di dire è che il contenuto della scatola è meno importante, per me, del processo continuo del parlare con qualcun altro, e delle idee che ne emergono. E quindi, non mi sembra che ci siano cinque o sei idee che elaboro e penso tutto il tempo, che posso tirare fuori dalla mia scatola. Funziona più che ci sono cinque o sei persone con cui penso tutto il tempo. Se me lo chiedi, non potrei dirti: «Sai, ci sono queste quattro o cinque idee su cui torno costantemente da tenere nella mia scatola». Non è così che va. È più come se ci fossero una o due cose di cui parlo con le persone da sempre. E la conversazione si sviluppa nel corso del tempo, e pensi a cose nuove e dici cose nuove. Ma le idee che mi restano in testa sono solitamente cose che altri hanno detto.

**Stefano:**    È difficile per me rispondere, perché sono una persona che non prende appunti su quello che legge, semplicemente perché so che non tornerò su quegli appunti. Non sono un collezionista in quel senso. Ma sento anche che lì c'è qualcosa; non necessariamente una scatola, ma forse come dice Fred, una serie di conversazioni. La cosa per me interessante è che le conversazioni stesse possono essere abbandonate, dimenticate, ma c'è qualcosa che va oltre le conversazioni, che risulta essere il progetto vero e proprio. Penso sia lo stesso quando si costruisce qualsiasi tipo di collaborazione o collettività: non è la cosa che fai, è la cosa che succede mentre la fai che diventa importante, e il lavoro stesso è una combinazione dei due modi di essere. O per dirla al modo delle *vite rubate*, non è la scatola a essere importante, ma l'esperimento tra le vite *in/contenibili*.

Stevphen: Forse la metafora della scatola di scarpe era più utile per Selma, nel senso che lei era più tagliata fuori dal contatto sociale e stava cercando di scrivere da sola, cercando di pensare in isolamento, cosa che ha i suoi rischi e le sue cadute. Leggendo attentamente i testi che avete scritto insieme, c'è una particolare serie di concetti che sviluppate ed elaborate entrambi in modi alquanto idiosincratici – forse, sono i prodotti di questo dialogo continuo che avete avuto per anni, potete spiegare come questi concetti così particolari siano emersi da tutto ciò?

Stefano: Potrei elencarti alcuni dei nostri concetti come «undercommons» o «pianificazione» o quelli sui quali abbiamo lavorato ultimamente, in merito alla destabilizzazione e alle vite rubate. Tuttavia, in un certo senso, sento che quello che sto esplorando con Fred, e quello che vorrei esplorare in altre situazioni che non sono così complesse, ma che per esempio sono state tentate con il collettivo all'università Queen Mary di Londra, è questo: i concetti sono mezzi per sviluppare un modo di vivere insieme, per stare insieme, che non possono essere condivisi come un modello ma come un esempio. Quindi, rispetto a questo, mi sento più come un «ladro di idee», come direbbe Guattari – sto hackerando concetti e squattando dei termini come modo per aiutarci a fare qualcosa. Il che non vuol dire che non dedichiamo molto tempo a sviluppare questi concetti, o a cercare di trarne senso, o a cercare di capire come nuove situazioni e circostanze potrebbero portarci a voler mantenere tale concetto, o dall'altro lato, a dire che il termine non è più sufficiente per ciò che stiamo cercando di dire ora. Negli ultimi tempi, sto pensando ad alcune cose scritte da Fred in risposta a una domanda sulle occupazioni del movimento Occupy, ovvero se si potesse dire che esse fossero ciò che noi chiamiamo «pianificazione». E Fred diceva: «Sì, non solo pianificazione ma anche studio, e addirittura quello che si potrebbe chiamare 'studio nero'». Ecco, questo per me era un esempio di come i concetti ci stavano permettendo di continuare a muoverci attraverso situazioni diverse. In questo senso, suppongo che questi concetti siano lì per noi in qualche modo, anche se non li considero «concettuali» allo stesso modo in cui forse potresti pensare più tradizionalmente ai concetti in ambito filosofico, dove occorre metterli a sistema.

**Fred:**      Penso che sia così. Per molti versi, sento che la cosa divertente di lavorare in collaborazione con qualcuno è trovare insieme un accordo sui termini. Stefano mi fa vedere diverse cose che ha letto e che io non ho letto, diversi tipi di esperienze che ha vissuto. Sceglie un termine al quale non avrei mai pensato da solo, un termine che mi attrae totalmente e mi viene voglia di lavorarci sopra. Ci saranno altri momenti in cui vorrò fare qualcosa con quel termine.

Mi è venuta in mente una metafora. Puoi parlarne come di una cassetta degli attrezzi o come di una specie di scatola per giocattoli. Succede con i miei figli, la maggior parte di quello che fanno con i giocattoli è trasformarli in oggetti scenici. Sono costantemente coinvolti in questo enorme progetto di finzione. E i loro giocattoli sono oggetti scenici usati per la loro finzione. Non ci giocano nel modo giusto – una spada diventa quello che usano per colpire una palla e una mazza da baseball diventa qualcosa con cui fare musica. Mi sento così rispetto a queste parole. Alla fine, la cosa più importante è che qualcosa venga messo in gioco. La cosa più importante del gioco è l'interazione. Una volta stavamo tutti in macchina e i miei figli stavano giocando a un gioco chiamato «famiglia», avevano praticamente creato una famiglia alternativa, e a un certo punto parlavano solo di quello che questa famiglia alternativa stava facendo. In quell'occasione, quando stavano cominciando a divertirsi davvero, mio figlio, il più grande, mi guarda (potevo vederlo dallo specchietto retrovisore) e mi dice: «Papà, abbiamo una scatola, te la facciamo aprire, e se apri la scatola puoi entrare nel nostro mondo». È più o meno così che ci si sente: ci sono questi oggetti scenici, questi giocattoli, e se li prendi puoi spostarti in qualche nuovo modo di pensare e in un nuovo insieme di relazioni, un nuovo modo di stare insieme, pensare insieme. Alla fine, è il nuovo modo di stare e pensare insieme che importa, e non l'attrezzo, non l'oggetto scenico. Oppure, l'oggetto scenico è importante solo nella misura in cui ti permette di entrare, ma una volta lì, quello che veramente vuoi enfatizzare è la relazione e l'attività. Detto questo, se qualcuno legge le nostre cose, e pensa di poter trarre qualcosa dal termine «pianificazione» o «under-commons» o «logisticalità», va benissimo, ma quello che conta è cosa fa con quel termine; dove lo porta nelle proprie relazioni. Quando altre persone leggono le proprie cose, questo le porta a cercare e a leggere le nostre. Anche questo crea un tipo diverso di relazione tra di noi, pure se non ne siamo necessariamente consci.

**Stefano:** Basta solo prendere un giocattolo alla fine...

**Stevphen:** Proseguendo il discorso, vorrei farvi una domanda sul vostro approccio allo scrivere insieme. Se i concetti sono degli strumenti per vivere o delle scatole di giocattoli per giocare, quando prendi in mano un testo che è finito, a meno che non abbiate dei testi speciali che non conosco, solitamente non hai la sensazione di giocare, o di vivere qualcosa. Hai invece la sensazione di avere davanti un prodotto finito, in cui la collettività che ha animato il lavoro che lo ha preceduto – che è la cosa più importante, sono d'accordo con voi – in qualche modo si perde lungo la strada. Come affrontate questa cosa? O esiste un modo per inserire un appunto, in un testo scritto, che dica «non prendetelo troppo sul serio, uscite fuori e giocateci»?

**Stefano:** Beh, un modo per farlo, che uso anch'io, è rivedere come dico le cose. Quindi, alcune persone potrebbero definire il mio stile ripetitivo, in parte perché riformulo le cose in continuazione, ma anche perché sto cercando di mostrare che continuo a giocare con qualcosa e non che questa cosa è fatta e finita. Se sto avanzando nella scrittura con una specie di rima che fa «duh dum duh dum duh dum» è per dire in parte che qui stiamo provando. E dal momento che stiamo provando, potresti anche tu prendere in mano uno strumento. Quindi, per me, questo elemento di gioco e di prova deve essere proprio lì, nella scrittura, in qualche forma. Non basta segnalarlo fuori dalla scrittura, inviare il pezzo e dire: «Ah, in realtà è un testo ancora aperto per questo o quello». In qualche modo, deve apparire nella scrittura stessa che la cosa non è ancora finita. Parte di questo dipende dal fatto che scrivere con un'altra persona significa, in un certo senso, mantenere sempre qualcosa di aperto, perché ci si chiede sempre: «La pensano entrambi in quel modo, chi dei due ha detto cosa?» Penso, invece, che sia una bella cosa e che non dovrebbe preoccuparci. Significa che da un certo punto di vista il testo è già aperto a più di una persona.

**Fred:**      Penso sia vero. Come quando a volte stai ascoltando qualcuno e cerchi di pensare a chi è nel canale sinistro e chi in quello destro. E poi, è come se ti accorgi che tutto sommato non importa. Perdi tutto questo tempo a cercare di capirlo, ma poi ti accorgi che c'è anche una specie di interazione e influenza reciproca che continua ancora nel testo. Non è una cosa morta, quello che ascolti e leggi si muove e vive ancora. Sta ancora prendendo forma.

L'anno scorso, mentre insegnavo e leggevo *Pelle nera, maschere bianche*, stavo cercando di ragionare su una cosa quando finalmente, perché credo di essere un po' lento, mi sono accorto, «Ah, cazzo, Fanon aveva studiato medicina. Questo è importante». Poi mi ha affascinato l'uso che Fanon fa della parola «lisare», lisi. Non ha scritto «critica» o neppure «analisi», ma ha invocato questo processo biochimico della rottura delle cellule, che i tecnici cercano poi di replicare nei loro esperimenti. All'improvviso, leggere Fanon significava cercare di scoprire quello che i biochimici intendono per «lisi». Cosa potrebbe voler dire un medico? Poi mi sono ricordato che Platone aveva scritto un dialogo chiamato *Liside*, che gira e rigira continuamente intorno a ciò che è interminabile nell'analisi o nella teoria dell'amicizia. Il testo di Fanon è ancora aperto e apre ancora. Ora devi entrarci dentro, e una volta dentro devi uscirne fuori. In realtà, sei stato spazzato via dal testo – ciò accade nel contesto di un pezzo scritto da un singolo autore, quando ti rendi conto che non è un pezzo scritto da un singolo autore. Sì, porta il suo nome, e ovviamente si potrebbe dire che quello che sto dicendo non è solo semplice e vero, ma anche comune. Chiunque capisca qualcosa sulla lettura dirà: «Sì, è intertestualità». Eppure, c'è un altro modo di considerare la cosa che ti permette di capire che il problema è ancora più profondo. Qui non si parla del semplice fatto dell'intertestualità. È una cosa diversa. Riconoscere che il testo è intertesto è una cosa. Vedere che un testo è uno spazio sociale è un'altra, è un modo più profondo di considerarlo. Dire che è uno spazio sociale significa che qualcosa sta succedendo: lì dentro, le persone e le cose si incontrano e interagiscono, si sfregano e si strofinano le une con le altre – e si entra in quello spazio sociale per cercare di farne parte. Quindi, quello che sto cercando di dire, almeno penso, è che le parole sono importanti finché ti danno accesso, o ti invitano, o ti spingono, o ti sollecitano a entrare in quello spazio sociale. Ma una volta che si entra in quello spazio sociale, le parole ne sono solo una parte, e ci sono anche altre cose. Nella lettura e nella scrittura ci sono cose da fare, posti dove andare e persone da vedere – e forse si tratta di cercare di trovare un qualche modo eticamente responsabile di stare in quel mondo con altre cose. Le nostre prime collaborazioni sono state in versi. In sostanza, questo è il modo migliore per dirlo. Tutte le altre cose che stavo dicendo e che non avevano senso, lasciale pure perdere! Abbiamo cominciato a pensare a cosa fare. Andare in giro, parlare e bere. Alla fine, le cose sono peggiorate a tal punto che abbiamo deciso di scrivere qualcosa. Ma la collaborazione è molto più antica della produzione di qualsiasi testo. La prima cosa che abbiamo scritto insieme era *Doing Academic Labor*, negli anni '90. Non lo so. Ma sono trascorsi quindici anni, durante i quali siamo usciti insieme, prima che ci pubblicassero qualcosa. Se tutto va bene, la prossima cosa verrà pubblicata tra altri quindici anni, passati insieme ovviamente.

**Stefano:**   E poi la pubblicazione successiva... [ride]. Una cosa a cui stavo pensando mentre parlavi del fatto che il testo è uno spazio sociale è che mi emoziona quando arriviamo a quel punto in cui il testo è abbastanza aperto che invece di essere studiato diventa effettivamente l'occasione per studiare. Così, entriamo nel mondo sociale dello studio, un mondo in cui si inizia a perdere traccia dei propri debiti e si comincia a vedere che il senso è proprio quello di perderne traccia, e semplicemente costruirli in modo che tutti abbiano la sensazione di poter contribuire, o meno, a essere in uno spazio. Mi sembra che non si tratti di dire che non c'è più qualcuno che ha insistito o persistito nel farci entrare in quello spazio-tempo dello studio. Piuttosto, il testo rende quel tipo di insistenza sullo studio un'insistenza aperta, libera dall'autorità o dalla leadership del momento o da qualcosa del genere, e legata invece a una sorta di invito a prendere tutti qualche cosa dal testo. Ho pensato sempre di più allo studio non come a qualcosa in cui tutti si dissolvono nella figura dello studente, ma dove le persone si alternano facendo le cose l'una per l'altra o per gli altri, e in cui ti permetti di essere posseduti da altre persone mentre fanno qualcosa. Anche questo è una specie di spossessamento in cui perdi ciò cui altrimenti ti saresti forse aggrappato, e quel possesso viene concesso volontariamente in un certo senso, e quindi si produce qualche altro possesso da parte di altre persone.

Penso che questa nozione si applichi anche allo spazio sociale del testo stesso, persino dove lo studio non è ancora evidente. Se si pensa al modo in cui leggiamo un testo, in certi momenti ci entriamo e ne usciamo, e per me quei momenti di possesso sono opportunità per dire: beh, tutto questo come potrebbe diventare più generalizzato? Questo senso di spossessamento e possesso da parte delle spossessate, è un modo di pensare quello che io e Fred chiamiamo l'antagonismo generale, che è un concetto che attraversa tutto il nostro lavoro, poiché attraversa il nostro senso del mondo. La produzione rivoltosa della differenza, che è l'antagonismo generale, non può essere domata né dall'autorità feudale né dalla violenza sociale che è il capitalismo, né tantomeno da iniziative di policy come gli *agonistic dialogues*[15] o le sfere pubbliche alternative. Ma laddove lo scopo non è sopprimere l'antagonismo generale, ma sperimentare con la sua capacità informale, quel luogo è l'undercommons, o meglio, ovunque e ogni volta che l'esperimento si verifica all'interno dell'antagonismo generale, si incontra l'undercommons. Essere posseduti dalle spossessate, e offrire possesso attraverso lo spossessamento è un tale esperimento ed è, tra le altre cose, un modo di pensare all'amore, e anche questo può nascere nello studio. Penso che questo sia il tipo di esperimento che stiamo tentando di fare con la School for Study.

**Stevphen:** Mentre preparavo l'intervista ho fatto ricorso a un approccio tipicamente web 2.0, chiedendo su Facebook quali domande avrei dovuto farvi. Ve ne ho inviate alcune. Una domanda che sembrava abbastanza interessante riguardava la possibilità di essere parte degli undercommons senza studiare, o la possibilità per gli undercommons di includere personale universitario

---

15  Modalità di confronto relazionale tra attori precedentemente coinvolti in conflitti, complementare al ruolo svolto dalle commissioni per la verità e la riconciliazione. Attraverso tali modalità di dibattito, gli attori coinvolti riescono a instaurare una relazione più o meno pacifica attraverso un processo fatto anche di momenti di contrapposizione e messa in discussione della verità.

non docente e forme di lavoro affettivo non immediatamente pedagogico.

F r e d:　　　Molte domande fatte dalla gente su Facebook erano: «Come si entra negli undercommons?»
Beh, sai, gli undercommons sono una scatola, e se la
apri puoi entrare nel nostro mondo. Alcune persone
sembrano essere reticenti riguardo all'uso del termine
«studio», ma esiste un modo di essere negli undercommons che non sia intellettuale? C'è un modo di essere
intellettuale che non sia sociale? Quando penso al modo
in cui usiamo il termine «studio», penso che ci siamo
impegnati a favore dell'idea che lo studio è quello che
si fa con altre persone. È parlare e andare in giro con
altre persone, lavorare, ballare, soffrire, una qualche
irriducibile convergenza di tutte e tre le cose, tenute
insieme sotto il nome di pratica speculativa. La nozione
di prova – essere in una specie di laboratorio, suonare
in un gruppo, in una jam session, o dei vecchi seduti
sotto a un portico, o della gente che lavora insieme in
una fabbrica – incorpora queste varie forme di attività.
Il senso di chiamarlo «studio» è per rimarcare che l'intellettualità incessante e irreversibile di queste attività
è già presente. Queste attività non sono nobilitate dal
fatto che ora diciamo: «Ah, se hai fatto queste cose
in un certo modo, si potrebbe dire che hai studiato».
Fare queste cose significa essere coinvolte in una sorta
di pratica intellettuale comune. Ciò che è importante è
riconoscere che è sempre stato così – perché quel riconoscimento consente di accedere a una intera storia del
pensiero alternativa e diversificata.

Quello che voglio aggiungere a proposito di questa domanda è che mi colpisce la sua eccessiva preoccupazione per la correttezza e la legittimità del termine. Non voglio dire tanto: «Ah, lei o lui non ha capito cosa intendevamo per studio». È più come: «Ok, va bene, se questi termini ti infastidiscono, puoi usare un altro termine». Puoi dire: «La mia comprensione di studio non si adatta a ciò che penso di voler ottenere da quello che state dicendo». Allora, quella persona deve avere una sorta di relazione paleonimica complicata con quel termine. Deve situarsi in qualche tipo di relazione apposizionale con quel termine; deve prenderne una parte, prenderne qualcosa, e ricavarne il proprio senso. Ora, nella misura in cui sei in quella che potrebbe essere definita una relazione dissidente, sei certamente coinvolto in quello che io considero studio.

Quindi se la domanda è «Deve includere la parola 'studio'?» la mia prima risposta è: ok, non capisci cosa intendiamo per studio. E poi la mia seconda risposta è: ma va bene che non capisci cosa vogliamo dire per studio, perché farai qualcos'altro adesso. Così dovrei correggere la mia prima risposta dicendo che: «Con lo studio intendiamo questo. La cosa che penso che tu voglia da quello che stiamo dicendo è esattamente quello che intendiamo per studio». E ti dirò: «Sembra che tu abbia un problema con lo studio. Come puoi avere un problema con lo studio? Se tu avessi davvero capito cos'è lo studio, sapresti che è questo tipo di socialità. Questo è tutto». Ma poi direi che sto facendo lo stronzo. Sarebbe come riportare questo tizio all'ordine perché non ha una comprensione del termine adeguata, correttamente riverente – e quello che sto dicendo è che è proprio il suo fraintendimento del termine, il suo rifiuto attivo di capirlo, che è un'estensione dello studio. Bisogna solo continuare a insistere. Penserò sempre alla sua tendenza a voler evitare, o a rinnegare, lo studio come a un atto di studio. Ma se lui o lei non la pensa così, va bene.

**Stefano:** Allo stesso tempo sono felice per noi, perché così possiamo dire qualcosa in più sullo *studio*. Non penso che sia una questione di essere completamente passivi e dire: «Fai quello che vuoi». Ci sono dei motivi per cui abbiamo ritenuto di dover adottare questi termini, e una delle ragioni chiave – di cui Fred ha già parlato – è la nostra sensazione che fosse importante sottolineare quanto lo studio stia già avvenendo, anche quando entri in un'aula, prima di pensare all'inizio di una lezione, tra le altre cose. Lo stesso vale per la parola pianificazione. Pensa al modo in cui usiamo la parola *policy*, ovvero come un qualcosa che rassomiglia a un pensare al posto degli altri, sia perché pensi che gli altri non siano in grado di pensare, sia perché in qualche modo pensi di saper pensare, che è l'altra faccia del pensare che negli altri c'è qualcosa di sbagliato – come pensare che in qualche modo hai sistemato la tua vita, e quindi questo ti dà il diritto di dire che qualcun altro ha bisogno di sistemarsi. *Pianificazione* è l'opposto di ciò, è come dire: «Guarda, non è che le persone, agendo insieme in modi diversi, non sono capaci di pensare con la propria testa. È solo che ti sembra così perché sei cresciuto sotto un regime correttivo particolare per il quale ti sembrerà sempre che abbiano qualcosa di sbagliato, al punto che provi a schierare la policy contro di loro». Lo stesso spiegamento della policy è il maggior sintomo del fatto che c'è qualcosa che ti sfugge quando pensi di doverti ricorrere – e davvero, mi sembra che succeda lo stesso con lo studio. Penso che se le persone non lo utilizzano o trovano qualcos'altro, va bene lo stesso. Ma allo stesso modo penso che il punto di insistere sullo studio è che la vita intellettuale è già al lavoro intorno a noi. Quando penso allo studio, penso tanto alle infermiere nella sala fumatori quanto all'università. Voglio dire che per me lo studio non ha niente a che fare con l'università, tranne per il fatto che quest'ultima, come dice Laura Harris, è un'incredibile raccolta di risorse. Quando stai pensando, allora è bello avere dei libri.

**Fred:**    Sicuramente anche la sala fumatori è un'incredibile raccolta di risorse.

**Stefano:**   Sì. È solo che non penso allo studio e all'università con quel tipo di connessione – anche se originariamente scrivevamo di quello che sapevamo, ed è per questo che gli undercommons sono usciti fuori per la prima volta in relazione all'università. Non credo che gli undercommons abbiano alcun rapporto necessario con l'università. E dato che per me gli undercommons sono una sorta di comportamento o di esperimento continuo con e in quanto *antagonismo generale*, una sorta di modo di stare con le altre persone, è quasi impossibile che possano essere associati a particolari forme di vita istituzionale. Nonostante, ovviamente, ne siano attraversati in diversi modi e in spazi e tempi diversi.

Fred:      Lo studio non si limita all'università. Non è tenuto o contenuto all'interno dell'università. Lo studio ha una relazione con l'università, ma solo nella misura in cui l'università, che cerca così tanto di escludere gli undercommons, non sia da questi ultimi necessariamente esclusa.

Stevphen: La domanda particolare a cui stai rispondendo è stata posta da Zach Schwartz-Weinstein sulla storia del lavoro accademico non didattico, il che mi porta a ciò che volevo chiedere. Capisco che ci sia una comprensione molto più ampia e profonda dello studio a cui state lavorando, ma il vostro lavoro è iniziato negli anni '90 osservando le condizioni particolari del lavoro accademico. Quindi, questa è una domanda su come la concezione più ampia dello studio si inserisca nelle condizioni più specifiche del lavoro accademico di cui parlate. State parlando di come certi tipi di lavoro accademico pregiudichino la collettività o, quasi proprio perché incoraggiano un investimento molto individualistico nel lavoro, di come essi pregiudichino l'emergere di quel tipo di progetto più ampio. Allora, si tratta di qualcosa di peculiare del lavoro accademico, o di qualcosa di generale per forme di lavoro che richiedono questo investimento? Credo che la mia domanda sia questa: come concepite la relazione tra le forme specifiche di composizione di classe del lavoro accademico e modelli più ampi? Penso che sia facile confondere lo specifico con ciò che è più generale.

Fred:      Quando penso alla questione o al problema del lavoro accademico adesso, la penso in questo modo: la parte che mi interessa è come le condizioni del lavoro accademico siano diventate sfavorevoli allo studio – come le condizioni in cui i lavoratori accademici lavorano precludano o impediscano effettivamente lo studio, rendendolo difficile se non impossibile. Quando ero coinvolto nell'attività sindacale come dottorando, nella Association of Graduate Student Employees dell'Università di Berkeley in California, ero frustrato dal modo in cui, a volte, lo sforzo dei dottorandi nel pensare a sé stessi in qualità di lavoratori si basasse sulla nozione che chi lavora non studia. Ma questo è stato più di una semplice romanticizzazione del lavoro autentico e di un disconoscimento della nostra stessa «inautenticità» in quanto lavoratori. Il punto era che l'immagine che avevamo di noi stessi come lavoratori accademici effettivamente aderiva ai modi in cui le condizioni di lavoro accademico avevano impedito lo studio. In realtà, sottoscrivevamo l'impedimento dello studio in quanto attività sociale, nonostante ci stavamo impegnando per lo studio, ci piaceva, e lo stavamo organizzando proprio come un'attività sociale. Era come se ci stessimo organizzando per il diritto di adattarci pienamente all'isolamento. Non ci è mai sembrato di studiare (nel) il modo in cui ci organizzavamo, e non ci siamo mai avvicinati a un sacco di altre modalità di studio che erano o troppo sulla superficie, o troppo al di sotto, dell'università. Penso che non abbiamo mai riconosciuto che l'aspetto più insidioso, feroce, brutale delle condizioni del nostro lavoro era che quest'ultimo regolasse e sopprimesse lo studio.

**Stefano:** Sì, era quello che da un lato ci disturbava. Dall'altro lato, sembrava che l'università – e il modo in cui si lavorava nell'università – fosse il luogo dove lo studio doveva presumibilmente accadere. Quindi, da un lato significava che c'erano alcune studentesse che sembravano disconoscere lo studio e, dall'altro, c'erano molti accademici che affermavano di monopolizzare lo studio o di essere al centro dello studio – e secondo me questo significava, innanzitutto, che lo studio stesso stava diventando, come dice Fred, quasi impossibile all'interno dell'università. Era l'unica cosa che non si poteva fare nell'università, non solo per le varie posizioni della gente, ma anche a causa dell'amministrazione dell'università. E tuttavia significava anche che era impossibile riconoscere o ammettere questa incredibile storia dello studio che va oltre l'università.

Detto questo, probabilmente c'era qualcosa – non so se per Fred fosse lo stesso, ma io avevo bisogno di lavorarci sopra ancora un po' – riguardo al fatto che io fossi un lavoratore accademico, e avessi bisogno di posizionarmi in un modo che non potesse andare oltre le restrizioni che questa posizione implicava. L'altra cosa è che ci sono certi modi in cui il modello accademico di impedimento allo studio è stato generalizzato. Quindi, lo studio non è ormai precluso soltanto nell'università, perché l'unico vero trasferimento di conoscenze dall'università è stato il suo caratteristico processo lavorativo. Sono riusciti a trasferire il processo del lavoro accademico all'azienda privata, affinché tutti possano pensare di essere accademici, tutte possano pensare di essere studentesse – questo tipo di identità a tempo pieno. La gente propone il modello dell'artista o dell'imprenditore ma no, è un modello troppo individuale, il capitalismo ha ancora un processo lavorativo. L'università è una specie di catena di montaggio, una sorta di processo lavorativo perfetto per reintrodurre una versione del plusvalore assoluto nella giornata lavorativa, cercando di configurare il lavoro secondo questo modello che associamo all'università. E quando osserviamo da vicino quello che stava realmente accadendo nell'università, quello che era veramente trasmesso era tutto eccetto lo studio, essendo l'intero regime lavorativo e tutti gli algoritmi organizzativi dedicati a sopprimere lo studio che avviene mentre si svolge il lavoro intellettuale. Pertanto, bisogna rimanere all'interno dell'università non solo perché c'è un certo numero di risorse o perché lo spazio per l'insegnamento è ancora relativamente anche se irregolarmente aperto; e non solo perché, in qualche modo, lo studio continua nei suoi undercommons. Ma bisogna rimanere anche perché lì c'è questo particolare modello di processo lavorativo che viene esportato, generalizzato nelle cosiddette industrie creative e in altri luoghi e utilizzato sapientemente contro lo studio. Si tratta di qualcosa che Paolo Do ha rilevato in Asia, dove l'espansione dell'università significa un'espansione di questo minaccioso processo lavorativo nella società.

**Stevphen:** C'è quest'argomentazione avanzata dalla Precarious Workers Brigade e dalla Artworkers Coalition secondo cui la cosa interessante del lavoro artistico non è necessariamente uno dei suoi aspetti costitutivi, ma come esso sia un laboratorio per un particolare tipo di estrazione di valore, che può essere poi generalizzato oltre la sfera artistica.

**Stefano:** Sì, esattamente. Ho imparato molto da loro.

Stevphen: Riallacciandomi a un'altra osservazione che fate, quando si comincia a parlare di «studenti come colleghi di lavoro», sarebbe come disconoscere il disconoscimento dello studio? Nei vostri scritti precedenti sul lavoro accademico parlate di come gli accademici non possano riconoscere i loro studenti come colleghi, perché questo presenterebbe un problema. Quindi, cosa significherebbe riconoscere questo processo di lavoro collaborativo, non solo all'interno dell'università stessa, ma in termini più generali?

Stefano: Oggi non la metterei allo stesso modo in cui la mettevamo all'epoca. Mi sembrava che allora fossimo coinvolti più in una critica interna al lavoro accademico di quanto mi ci senta adesso. Non è che sono scappato da quella critica, ma sentivo che avevamo bisogno di farlo per non sentire il bisogno di continuare a farlo. Invece di metterla in questi termini, potrei dire che c'è una sorta di paura nell'università in relazione a qualcosa come il dilettantismo – l'immaturità, la pre-maturità, il non laurearsi, il non essere pronti in qualche modo – che la studentessa, in certi momenti, rappresenta. Inoltre, il nostro lavoro con lo studente è presumibilmente quello di aiutarlo a superare ciò, affinché possa ottenere crediti e laurearsi. Il momento che stiamo vivendo oggi è per me più interessante, perché è un momento in cui la pre-maturità, l'immaturità e il non essere pronti sono anche una specie di apertura all'essere affettə dagli altri, spossessatə e possedutə dalle altre. Ma naturalmente, quello che stanno cercando di fare all'università è liberarsi di tutto questo, per farti diventare un individuo completamente auto-determinato, pronto per il lavoro, o come dice Paolo Virno, pronto a mostrare che sei pronto a lavorare. Quindi, per me, non si tratta tanto di considerare la studentessa come collega di lavoro – anche se è senza dubbio vero che gli studenti fanno un sacco di lavoro – quanto di considerarla, come direbbe Denise Ferreira da Silva, come esempio di un corpo affetto. E naturalmente i professori, proprio come i filosofi di cui parla Denise, s'incazzano con quella studentessa, mentre allo stesso tempo è la cosa su cui lavorano: per loro è un punto necessario del ciclo produttivo. Stanno cercando di rimuovere tutto ciò che possa assomigliare a quel tipo di affetto tra i corpi, e di produrre individui auto-determinati. Entrare con gli studenti all'interno di quel momento, a quel livello affettivo, è la parte che mi interessa un po' di più ora, diciamo, rispetto a quella di impegnarmi con loro in qualità di lavoratori, anche se non penso che sia sbagliato. È solo che mi sembra meno di quello che potrebbe accadere.

**Fred:** Rivedendo quei primi pezzi, penso che abbiamo solo continuato a portare avanti il tutto, e abbiamo continuato a muoverci, ma che il movimento si fondava su di noi che cercavamo di pensare a dove eravamo all'epoca. Queste sono le condizioni in cui viviamo e operiamo e dobbiamo cercare di ragionarci sopra. C'è qualcosa che non va, pensiamo a come e perché le cose non sono nel modo in cui vorremmo che fossero – e abbiamo semplicemente avuto l'audacia di credere che il nostro desiderio di qualche altro modo di essere nel mondo dovesse essere collegato al nostro tentativo di capire il modo e le condizioni in cui stavamo vivendo in quel momento. In altre parole, e per me questa è una cosa cruciale: non pensavo di cercare di aiutare qualcuno. Non pensavo all'università come a un luogo rispettato in cui il solo fatto di esserci fosse visto come un segno di un certo tipo di privilegio; e che il modo giusto per affrontare o riconoscere quel privilegio fosse prendere questa saggezza o prendere queste risorse a cui avevo accesso e cercare di distribuirle in modo più equo alla gente povera che non aveva quella relazione che noi avevamo con l'università. Io non l'ho mai pensata in questo modo. Pensavo sempre: l'università è fottuta. È tutto un cazzo di casino quaggiù. Perché ci troviamo in questo casino di merda? Perché, cazzo, le cose non sono come dovrebbero essere qua? Sì, succedono cose qui, ma ovviamente succedono cose anche in altri posti. Il punto è questo: è tutto un cazzo di casino qui, come possiamo pensare a questo casino in un modo che possa aiutarci a organizzarci per migliorare la situazione? Cercavamo di capire questa problematica della nostra stessa alienazione dalla nostra capacità di studiare – lo sfruttamento della nostra capacità di studiare che si manifestava come un insieme di prodotti accademici. Questo è quello che cercavamo di capire. E ci ha colpito il fatto che è quello che gli operai, che sono anche pensatori, hanno da sempre cercato di capire. Perché non possiamo stare insieme, pensare insieme, in un modo che ci faccia sentire bene, quel modo che dovrebbe farci sentire bene? Per la maggior parte delle nostre colleghe e dei nostri studenti, per quanto si voglia attenuare questa distinzione, questa domanda è la domanda più difficile da far considerare alla gente. Sono sempre tutti incazzati, stanno male, ma molto di rado si entra in una conversazione nella quale si sente dire: «Perché questo non ci fa sentire bene?» Ci sono un sacco di persone arrabbiate, che non si sentono bene, ma gli sembra difficile chiedere, collettivamente: «Perché non stiamo bene?» Amo la poesia, ma perché leggere, pensare e scrivere di poesia in questo contesto non mi fa sentire bene? A mio avviso, questa è la domanda che abbiamo iniziato a provare a porre.

**Stevphen:** È particolarmente difficile fare questa domanda in Inghilterra, dove si suppone che al riguardo siano tuttə infelicə, ma sempre in modo molto cortese.

**Fred:** Ma questa è la cosa insidiosa, questa naturalizzazione dell'infelicità, la credenza che il lavoro intellettuale richieda alienazione e immobilità, e che il dolore e la nausea che ne derivano siano una sorta di medaglia al valore, una specie di distintivo che puoi appuntare alla tua toga accademica, o qualcosa del genere. Il piacere è sospetto, inaffidabile, un segno di privilegio illegittimo o di qualche tipo di rifiuto effeminato a guardare dritto nel volto fottuto delle cose che è, evidentemente, solo qualcosa che si può fare in isolamento. Si tratta solo di non essere tagliati fuori in questo modo; di studiare l'antagonismo generale dall'interno dell'antagonismo generale. Il mio film preferito è *L'uomo venuto dal Kremlino* e voglio essere come Padre Telemond, uno dei suoi personaggi. Lui credeva nel mondo. Come Deleuze. Io credo nel mondo e voglio starci dentro. Voglio starci fino in fondo, perché credo in un altro mondo nel mondo, e voglio essere proprio *là*. E ho intenzione di rimanere un credente, come Curtis Mayfield. Ma questo è al di là di me, e anche oltre me e Stefano, e fuori nel mondo, nell'altra cosa, nell'altro mondo, nel gioioso rumore dell'*eschaton* discacciato e cantato a ritmo di scat, c'è il rifiuto sottocomune della misera accademia dell'infelicità.

**Stefano:** Circa sette anni fa mi sono trasferito dagli Stati Uniti al Regno Unito, e sono passato da un sistema universitario in cui i dottorandi insegnavano su scala industriale, a un sistema più semi-feudale con invece molti professori precari a contratto. Ma poi sono entrato in contatto con i compagni che sopportavano i sistemi baronali in Italia e in altri paesi del sud Europa, che se avessero voluto studiare avrebbero dovuto lasciare l'università, almeno strategicamente. Questo mi ha posto un nuovo interrogativo, ovvero: quando si lascia l'università per studiare, in che modo devi continuare a riconoscere che non stai lasciando il luogo di studio per crearne uno nuovo, ma stai entrando in un mondo completamente altro, dove lo studio sta già accadendo oltre l'università? Sentivo che avrei dovuto avere un modo per essere in grado di vedere quel mondo, di sentire quel mondo, di percepirlo e di entrarvi, di unirmi allo studio già in corso in diversi modi informali, non formativi e informativi. Quando parlo di una pratica speculativa, qualcosa che ho imparato lavorando con l'artista Valentina Desideri, sto parlando di camminare attraverso lo studio, e non solo di studiare camminando con gli altri. Per me, una pratica speculativa è studiare in movimento, camminare con altre e parlare di idee, ma anche di cosa mangiare, di un vecchio film, di un cane che sta passando o di un nuovo amore, è anche parlare nel mezzo di qualcosa, interrompere gli altri tipi di studio che potrebbero essere in corso, o che forse sono solo in pausa, che attraversiamo, ai quali potremmo anche essere invitati a partecipare; questo studio attraverso i corpi, attraverso lo spazio, attraverso le cose; questo è studio come pratica speculativa, quando la pratica situata di una sala per seminari, o di uno spazio occupato, esce fuori per incontrare lo studio in generale.

**Stevphen:** Una cosa che ho chiesto a Stefano lo scorso fine settimana, mentre leggevo il manoscritto, riguarda l'ordine dei capitoli. Alcuni pezzi si percepiscono in modo diverso quando si cambia l'ordine in cui li si legge, perché si ottiene un diverso tipo di arco narrativo, a seconda di dove si inizia e dove si finisce. Penso che quello che in parte sto capendo è che il progetto non vuole tanto dire: «Ecco una narrazione coerente che scorre in questo modo»; ma è più come delle cose messe insieme, che rimangono aperte, e che dovrebbero essere presentate come una sorta di raccolta che non dice necessariamente: «La nostra discussione inizia con il primo capitolo e finisce al quinto». È più una raccolta di cose che risuonano l'una con l'altra, piuttosto che cose che devono svilupparsi in sequenza.

**Stefano:** Sì, penso che sia vero. Penso che ogni capitolo sia un modo diverso per arrivare a una serie di domande del genere, per pensare all'antagonismo generale, per pensare alla nerezza, per pensare agli undercommons. Penso che per me e Fred l'impulso sia sempre quello di fare tentativi e di andare incontro alle cose che ci piacciono, al modo di vivere che ci piace. Sappiamo che a volte ciò implica passare attraverso alcuni tipi di critica di ciò che ci frena. Ma quello che succede ogni volta, per me, è che cerco di elaborare un modo diverso di vivere insieme alle altre, di stare con gli altri, non solo con altre persone, ma con altre cose e altri tipi di sensi. A un certo punto – parlo comunque per me – ho sentito molto fortemente che questa specie di mondo della policy stava emergendo ovunque – e ho voluto parlare con Fred di come ritrovare le nostre cose in mezzo a tutta questa sorta di lavoro della policy, in cui tutti sembravano fare policy, in ogni angolo e in ogni momento. Avevo questa immagine nella mia testa, di una specie di ritorno a un mondo in cui ogni individuo auto-determinato aveva il diritto di esercitare immediatamente e sul posto una policy brutale, verso ogni persona che non fosse auto-determinata, che è essenzialmente una situazione coloniale o schiavista – e il tipo di ubiquità della policy, che all'improvviso non proveniva più solo dal governo, ma dai fottuti *policy shops*[16] posti in ogni università e da quelli indipendenti, dai blogger, ecc. Questi della policy per me sono come i *night riders*. Quindi, in quel momento, ho sentito che era necessario affrontare la questione ponendomi alcune domande, tipo: «Cosa pensi che stia succedendo che possa aver provocato questo tipo di attacco frenetico, questa mobilitazione totale di chi si è 'sistemato'? Che cosa ha provocato tutto questo?» Ecco perché abbiamo finito col parlare di pianificazione. Ma questo ha anche a che vedere con il fatto che c'è una parte di un pezzo in cui Fred riesce ad affrontare direttamente la nerezza. Così, siamo stati in grado di iniziare da qualcosa che sentivamo

---

16  Agenzie di programmazione sociale.

come un'elaborazione del nostro modo di vivere, la nostra eredità della tradizione radicale nera. Poi, quel testo finisce con una sorta di avvertimento sulla governance.

Almeno dal mio punto di vista, mi rivolgo sempre a Fred, esco con Fred e, come dire, tutti e due sappiamo che ci sono cose che ci piacciono, e quindi vorremmo capire come elaborarle questa volta non solo per noi, ma anche per le altre persone, per dire agli altri di continuare a lottare e per continuare a fare le nostre cose. Quindi, è vero che la nostra non è un'argomentazione che si sviluppa crescendo. Per me, si tratta di prendere diversi giocattoli per vedere se possiamo tornare a quello che ci interessa davvero; il che non vuol dire che non ci siano cambiamenti. Ho una comprensione più ricca della vita sociale rispetto a qualche anno fa. Quando ho iniziato a lavorare con Fred, per me la vita sociale aveva molto a che fare con l'amicizia e con il rifiuto – il rifiuto di fare certi tipi di cose. E poi gradualmente mi sono sempre più interessato a questo termine, «preservazione», per cui ho iniziato a pensare: «Beh, il rifiuto è qualcosa che facciamo a causa loro, cosa facciamo per la nostra causa?» Recentemente, ho iniziato a pensare di più alle elaborazioni di cura e di amore. Così, il mio mondo sociale sta diventando sempre più grande grazie al nostro lavoro. Tuttavia, per me ogni pezzo è ancora un altro modo per arrivare a cogliere ciò che amiamo e ciò che ci trattiene da quello che amiamo. Quindi, in questo senso, non è un'indagine scientifica che inizia da una parte e finisce dall'altra.

Fred: È curiosa questa ubiquità del *policy making*, la costante deputazione dei lavoratori accademici negli apparati del potere della polizia. E sono come *night riders*, *paddy rollers*,[17] tutti in pattuglia, intenti a catturare quelli che cercano di scappare – specialmente loro stessi, intenti quindi a catturare la loro stessa fuggitività. Questo è il primo obiettivo al quale, in effetti, è diretta la policy. Penso che gran parte della policy abbia a che fare semplicemente con, diciamo, una certa riduzione della vita intellettuale – per ridurre lo studio a critica, e allo stesso tempo, una riduzione davvero, davvero orribile, brutale, della critica a screditamento, che opera sotto l'assunto generale che l'infelicità naturalizzata dell'accademia ami la compagnia nel suo isolamento, come una sorta di alienazione comune distorta in cui le persone sono legate insieme non da vincoli di sangue o da una lingua comune, ma dal cattivo sentimento sul quale competono. E così, quello che succede alla fine è che ci sono un sacco di persone che, come suggeriva Stefano, passano un sacco di tempo a pensare a cose che non vogliono fare, a cose che non vogliono essere, piuttosto che cominciare a pensare, e mettere in atto, quello che vogliono.

Una delle persone che hanno fatto domande su Facebook è Dont Rhine, che fa parte di un collettivo politico/artistico chiamato Ultra-red, con cui ho avuto la fortuna di poter fare delle cose qualche settimana fa, a New York. Dont parlava delle Mississippi Freedom Schools,[18] e gli Ultra-red stanno continuando a usare il curriculum della Freedom School come parte delle loro performance.

---

17 Pattuglie di controllo e sorveglianza delle piantagioni e delle persone schiavizzate.
18 Scuole alternative e gratuite per africanə americanə nel sud degli Stati Uniti, nate nel 1964, all'epoca del movimento per i diritti civili.

Si tratta di performance pedagogiche. Il collettivo si dedica, essenzialmente, a una sorta di pratica di studio mobile e itinerante che si colloca intorno a un determinato insieme di protocolli riguardanti la problematica e le possibilità del suono. Sono impegnati in questo processo che, per me, è assolutamente interessante, ed è un modello di come si potrebbe stare insieme a diverse persone nel mondo e in luoghi diversi. Ciò che volevo dire è che – per ritornare alle domande – il curriculum della Mississippi Freedom School poneva un paio di domande che erano sia degli studenti che degli insegnanti. Una domanda era: «Che cosa non abbiamo di cui abbiamo invece bisogno, che cosa vogliamo o vogliamo avere?» Ma l'altra domanda, che credo debba precedere la prima in modo assolutamente irriducibile è: «Che cosa abbiamo che vogliamo mantenere?» E, naturalmente, esisteva un modo di pensare a quello che stava succedendo nel Mississippi nel 1964 che si basava sull'idea che l'ultima domanda che mai si sarebbe considerata rilevante per le persone in quella situazione, per la gente nera che viveva nel Mississippi nel 1964, fosse: «Cosa volete mantenere di quello che avete?» Si presumeva che stessero vivendo una vita di assoluta privazione – che non erano nulla e non avevano nulla, dove nulla è inteso nella sua accezione comune di assenza. Ciò che la seconda domanda, in realtà precedente, presuppone è: (a) che quelle persone hanno qualcosa che vogliono mantenere; (b) che non solo le persone che le stavano fottendo non hanno tutto, ma che parte di quello che vogliamo fare è organizzarci intorno al principio secondo cui non vogliamo tutto quello che hanno. Di male non solo hanno un sacco di merda, ma anche il loro modo di avere.

Noi non lo vogliamo. Non ne abbiamo bisogno. Dobbiamo evitarlo. E quello che sto dicendo è che c'è una sorta di comprensione sclerotica di queste problematiche dell'avere e del non avere, di privilegi e sotto-privilegi, che struttura l'università come luogo in cui la policy prolifera.

E così, abbiamo iniziato a pensare all'università perché eravamo lì. E Stefano diceva, giustamente penso, che ciò che abbiamo compreso è che il nostro tentativo di capire le condizioni in cui stavamo lavorando ci ha portato a riconoscere che quelle condizioni venivano date in appalto, e che quelle condizioni venivano fatte proliferare in tutto il mondo – che l'università era un'avanguardia del *policy making*, e un luogo in cui l'ubiquità della policy veniva modellata per altri ambiti all'interno del mondo sociale. E poi, la gente diceva: «Di fatto, possiamo avere una comprensione molto sclerotica dello studio o, diciamo, della produzione e dell'acquisizione di conoscenza, e questo può essere il centro attorno al quale organizziamo l'esportazione di questo intero processo e di questa problematica del *policy making*». Quindi, sì, ora modelleremo il luogo di lavoro sull'esempio di un'aula delle scuole libere. Non ci saranno più banchi fissi e individuali. Avremo tavole rotonde e la gente potrà fare qualcosa che assomiglia a un girare intorno, e diremo che siamo preoccupati per la tua formazione continua, che ti vogliamo libera di esprimere le tue idee. Quello che in realtà la gente stava facendo era prendere il guscio vuoto di quello che prima si chiamava educazione e dire: «Possiamo usare questo guscio come un modo per esportare l'apparato della policy in tutto il mondo sociale». Ci siamo resi conto che non stiamo solo cercando di capire com'è che ci ritroviamo nella merda, ma anche il perché le condizioni essenziali di questa situazione vengano esportate ovunque.

Stefano:    Sì, esatto. La policy è rivolta soprattutto alla gente povera, e una delle ragioni è essenzialmente perché, come diceva Fred, la ricchezza di avere senza possedere – che esiste tra la gente povera, che non vuol dire che non sia anche povera – ovvero il principio sociale di avere senza proprietà, è ambivalente. Da un lato, ovviamente, il capitale vuole tutto questo: tutta quella stronzata dei diritti di proprietà intellettuale, per cui, in un certo senso, si lascia quella roba un po' vaga affinché la gente sia produttiva. Ma d'altra parte, non può essere tollerata a lungo termine, e penso che sia per questo che abbiamo questa cosa strana che io chiamo neoliberismo estremo, dove hai un'alternanza tra un momento in cui ci sono questa specie di droni feroci contro la gente povera – questi *night riders* che fanno policy in ogni posto considerato da risanare e contro chiunque sia considerato bisognoso di essere risanato – e un altro momento, subito dopo, in cui è la governance a essere schierata contro la gente povera. E questo ha a che fare con le alternative alla proprietà che penso siano un'eredità della gente povera, o una diseredazione, o qualcosa del genere. La conosci no? È la tattica del poliziotto cattivo, poliziotto cattivo.[19]

---

19  Una rivisitazione della tattica e della forma di interrogatorio tipiche della polizia statunitense: *good cop, bad cop*. La ripetizione di *bad cop*, indica che la situazione di controllo della policy non cambia né con le buone né con le cattive e che quindi tutto è marcio.

Sento che qui è al lavoro una relazione tra policy e governance. Entrambe vengono generate nell'università – non
solo nell'università, ma anche nelle Ong e in altri luoghi.
Mi colpisce però che con la policy si ha spesso a che
fare con qualcuno che ha la presunzione di conoscere il
problema. Con la governance si ha a che fare più con
una situazione in cui si immagina in primo luogo che,
piuttosto che dover risanare qualcuno per estrarne qualcosa, c'è la possibilità di una sorta di estrazione diretta, e
questo è anche ciò che il campo della logistica desidera.
In questo senso, la governance mi ricorda il modo in cui
Mario Tronti parla del processo lavorativo. Tronti non
usa il termine «processo lavorativo», ma dice: «Guarda,
l'operaio porta tutto: il rapporto di classe, l'antagonismo, la socialità. L'unica cosa che apporta il capitale
è il processo lavorativo, lo mette in piedi». Come dice
Poulantzas, lo avvia e lo controlla. A me sembra che la
governance sia proprio questo. La governance è semplicemente il processo lavorativo. È la cosa minore rispetto
al tutto, ma è il momento organizzativo, la resistenza
organizzativa a quello che facciamo. Ed è perché si tratta
del momento organizzativo in cui ci troviamo: una situazione a cui – per le persone che sono coinvolte in forme
di organizzazione, come un insegnante, per esempio – si
deve far fronte sin da subito, a causa della policy e della
governance e della loro ubiquità, o facendo la parte della
polizia o trovando qualche altro modo per stare con gli
altri. Si è costretti a scegliere, immediatamente. Inoltre,
mi sembra che ciò dia un'idea del perché c'è, sin da
subito, tanta ansia nell'università; non c'è la possibilità di
nascondersi in un'istituzione immaginata come liberale.

In questo tipo di istituzioni algoritmiche, dove non funziona altro che una logistica di efficienza, quando lavori all'università o diventi subito come la polizia o devi trovare qualche altro modo di starci. Penso che dipenda dalla reazione alle forme crescenti di autonomia nella vita sociale, una reazione che prende la forma di governance e policy. Gli accademici vi sono intrappolati. Devono far fronte al fatto che non c'è possibilità di non scegliere da che parte stare.

**Stevphen:** Vorrei chiedervi, quindi, quali altri modi ci sono per rispondere alla seduttività della governance? O, quali sono i vostri interessi, cosa volete? Penso al mondo delle Ong dove si ha questa prospezione per il lavoro immateriale, per gli interessi, al fine di essere governati. Come trovate una risposta a questo? La ragione per cui considero la cosa dal punto di vista della seduzione, ha a che vedere con il fatto che conosco alcuni dei miei amici (e includo anche me) che sono finiti nel mondo accademico o in quello delle Ong perché cercavano di evitare di essere trascinati in un certo tipo di processo lavorativo, e così l'hanno pensato come la loro via di fuga. Ma la loro fuga si è rivelata, anche questa, come un diverso tipo di prospezione, dove alla fine sono stati attratti da una forma di lavoro diversa, quasi più profonda, più problematica.

**Stefano:** Sì, il processo di metalavoro in cui sono stati coinvolti. Il punto chiave con le Ong – e questo è vero in una certa misura anche per l'università (ma non proprio nella stessa misura), a causa della strana figura dell'insegnante – il vero *ethos*, la vera etica della Ong non è parlare al posto di un gruppo che non parla, ma fare in modo che quel gruppo possa parlare per sé. È una cosa come: «Questo gruppo deve trovare la sua voce e parlare per sé contro la costruzione di quella diga, e cose del genere». Da un lato, pensi: «Beh, cazzo, che altro potresti fare? Cioè, devi lottare contro la diga». Dall'altra parte, mi sembra che si stia chiedendo alle persone di autodefinirsi secondo una certa forma di identità. Questo è ciò che Gayatri intende, credo, quando dice che il primo diritto è quello di rifiutare i diritti. Quindi, mi sembra che la Ong spesso possa essere un laboratorio usato per cercare di sollecitare ed estrapolare dalle persone certi loro modi di stare insieme, facendo sì che esse stesse possano tradurli, alla fine, in capitale. Non sono un sostenitore dell'idea secondo cui riusciremo a essere imperscrutabili o invisibili al capitale, o cose del genere. Ma ci sono sempre elaborazioni di vita sociale che non sono comprese o sfruttate dal capitale. Il capitale, nel suo agire, per forza di cose semplicemente non la capisce questa vita sociale. La governance è un modo per rendergliela in qualche modo più leggibile. Non perché qualcuno stia cercando di essere illeggibile. Penso che una volta che provi a essere illeggibile, sei già leggibile.

Quindi, se mi stai chiedendo cosa fare in questo tipo di circostanze, sono d'accordo che è una domanda difficile, e in pratica continuo a insegnare in circostanze che includono anche un po' il far sì che la studentessa termini gli studi, dandole voti e cose del genere. E non dico che la gente all'improvviso non dovrebbe lavorare per le Ong. Ma sento che dobbiamo tentare di elaborare qualche altra forma che non ci porti lungo quel percorso politico, che non ci chieda di auto-determinarci per avere voce e interessi – e di riconoscere che le persone non devono avere interessi per stare insieme. Non c'è bisogno di cominciare dicendo: «Sono questo e quello, questo è quello che mi piace fare». Voglio dire, le persone non devono relazionarsi tra di loro attraverso questi cazzo di siti per incontri. Non devi elaborarti come individuo per stare con le altre persone – e infatti è una barriera allo stare con le altre persone, a quanto vedo.

**Fred:** Stavo pensando a una cosa che hai detto, Stefano, su come il capitale introduca, o fornisca, una struttura. E vorrei pensare un po' di più a questo presunto potere iniziatico del capitale, perché direi che quello che stai chiamando «iniziazione» è quello a cui penso come a un «richiamare la situazione all'ordine».

**Stefano:** Sì, e poi è come se scatta un interruttore.

**Fred:** Funziona proprio così. E per quanto riguarda la sua seduttività, ci sono due modi di pensarla. Il primo, è di vederla come una sorta di produttività normativa che richiede ordine ed esige la risposta al richiamo all'ordine. O un altro modo di vederla sarebbe che devi rispondere al richiamo all'ordine per essere riconoscibile – e che l'unico modo genuino e autentico di vivere nel mondo sia quello di essere riconoscibile entro i termini dell'ordine. Ma è un po' come quando entri in classe, sei l'insegnante e arrivi un paio di minuti prima e trovi persone che gironzolano, e c'è una conversazione in corso, e alcune di loro potrebbero parlare di cose di cui si è parlato nel corso della lezione, altre di qualcosa di completamente diverso – e al contempo io stesso sto pensando a qualcosa, o a ciò di cui abbiamo parlato in classe o a qualcosa di completamente diverso. La mia posizione, in quel momento... quello che dovrei fare è diventare, a un certo punto, uno strumento di governance. Quello che dovrei fare è richiamare quella classe all'ordine, il che presuppone che non stesse avvenendo un'organizzazione reale, già esistente, che non stesse avvenendo alcun tipo di studio prima del mio arrivo in classe, che non stia avvenendo alcun tipo di studio ora, che non stia avvenendo alcuna pianificazione. La richiamo all'ordine, e allora qualcosa può accadere – la conoscenza può essere prodotta. Questo è il presupposto della governance.

È molto difficile. Quello che mi interessa davvero è non richiamare la classe all'ordine. E puoi pensare a questo letteralmente come a un semplice gesto al livello di un certo tipo di modalità performativa e drammatica. In pratica, vediamo cosa succede se non faccio quel gesto di richiamare la classe all'ordine – solo quel piccolo momento in cui il mio tono di voce cambia e diventa leggermente più autorevole, per far sapere a tuttə che la lezione è iniziata. E se dicessi: «Bene, siamo qui. Eccoci qui». Invece di annunciare che la lezione è iniziata, basta riconoscere che la lezione è iniziata. Sembra un gesto ingenuo e non molto importante. Eppure, penso che sia davvero importante. E penso anche che sia importante riconoscere quanto sia difficile non farlo. In altre parole, quanto sarebbe difficile, sistematicamente, non richiamare all'ordine – ma anche riconoscere quanto sarebbe importante, quanto potrebbe essere interessante, quali nuovi generi di cose potrebbero emergere dalla capacità di rifiutarsi di richiamare all'ordine. Nel riconoscere che potrebbe succedere di tutto, vedi cosa accade quando in quel momento ti rifiuti di diventare uno strumento di governance, capendo come si presenterà un certo tipo di disagio. Ho avuto studenti che richiederebbero loro il richiamo all'ordine, come se ci fosse un vuoto di potere e qualcuno dovesse intervenire.

**Stevphen:** Come George Orwell quando fu costretto a sparare all'elefante.[20]

**Fred:** Sono così infastidito da un certo tipo di discorso intorno a questo strano genere di narcisismo – questa moneta a due facce del narcisismo del lavoro accademico – per cui da un lato della moneta naturalizzi la tua infelicità, e dall'altro lato aderisci completamente all'idea comune del tuo privilegio assoluto. Quindi, da un lato ti svegli ogni giorno infelice dicendo: «È così che va la vita». E dall'altro lato ti svegli ogni giorno dicendo: «Guarda che privilegio ho a essere qui. E guarda tutta questa gente povera, che non ha il privilegio di essere qui». Uno degli effetti deleteri e negativi di questo particolare tipo di narcisismo è di non riconoscere che una delle cose più spettacolari dell'università (non dico che questo sia l'unico posto in cui accade, ma è un posto in cui questo accade)

20   Riferimento al racconto saggistico pubblicato da George Orwell nel 1936. Lo si può leggere nel volume *Sparando all'elefante e altri scritti,* E/O, 2021.

è che ogni giorno che entri in classe hai una possibilità di non richiamare all'ordine e di vedere poi cosa succede. E il maledetto rettore dell'università non busserà alla tua porta dicendo: «Come mai non li hai richiamati all'ordine?»

**Stevphen:** Beh, la cosa divertente per me era il mio tentativo di non avere un ruolo di quel tipo, in quel senso, e di cercare invece di iniziare la lezione facendo domande del tipo: «Perché siamo qui? Cosa ci facciamo qui?»... Diciamo che per certi aspetti non l'hanno presa così bene, cioè che la risposta dell'università è stata: «Sei un incompetente! Ti manderemo a un corso di formazione per insegnanti e ti mostreremo come richiamare all'ordine».

**Fred:** E ancora una volta, non ho i vantaggi che Stefano ha avuto per essere stato in entrambi i sistemi accademici, ma so che negli Stati Uniti non ti mandano controlli, l'amministrazione non viene nella mia classe. Penso che ci troviamo in una situazione in cui il presupposto della necessità di richiamare all'ordine è così forte da poter sostanzialmente contare sul fatto che le persone lo facciano. Ma non hanno bisogno di controllarti. L'assunto è che il richiamo all'ordine è così assolutamente necessario e indispensabile, quindi perché si dovrebbe fare una qualsiasi altra cosa? Il che è fantastico, perché non ti controllano. Puoi fare un'altra cosa. Non è quel tipo di sorveglianza e di disciplina e regolamentazione operaia, nel senso che non è una forza imposta esternamente. L'inganno è l'idea secondo cui il tuo *policy maker* sei proprio tu: sei la tua stessa forza di polizia. Fortunatamente, ti abbiamo addestrato correttamente così che sai come richiamare. A quel punto, sei tu a dover sorvegliare te stesso.

Quello che sto veramente cercando di dire è che è importante fare una distinzione tra la capacità del capitale o dell'amministrazione di innescare un'iniziazione, in opposizione al loro potere di richiamare all'ordine. C'è una differenza tra queste due cose. Il capitale e l'amministrazione non innescano nulla. In altre parole, il richiamo all'ordine non è in realtà un'iniziazione. Se è un'iniziazione, è un'iniziazione nel senso di essere iniziati all'interno di una fraternità. È un nuovo inizio, diciamo. È un momento di una specie di strana, mostruosa rinascita. È letteralmente rinascere nella policy, o nella governance. Ma prima stava succedendo qualcosa. E quel momento iniziatico è a doppio taglio. Stai iniziando qualcosa di nuovo, ma stai anche cercando, in un modo radicale e brutale di mettere fine a qualcosa – e la parte orribile è che si tratta di un momento di colonizzazione: stai mettendo fine a qualcosa e stai anche cercando, nello stesso momento, di dichiarare che quel qualcosa non ci sia mai stato. «Non solo ti impedirò di fare questa roba, ma ti convincerò che non l'hai mai fatta».

**Stefano:** Sì, è vero. Quindi penso che sia in questo contesto che ci poniamo entrambi una domanda per noi importante. In altre circostanze, io e Fred ne abbiamo parlato pensando a un certo tipo di canzone, una canzone soul che potreste trovare in Curtis Mayfield o in Marvin Gaye, dove qualcosa sta succedendo, chiamiamolo un esperimento con/nell'antagonismo generale, e poi la canzone inizia. Si può sentire il pubblico, si può sentire la folla, e poi Curtis o Marvin comincia a cantare, o la musica attacca. Quindi, la cosa che mi interessa è: come fai a continuare a cantare, senza richiamare all'ordine qualcosa? Nel senso che non richiamare qualcosa all'ordine è diverso dal dire che non c'è niente che si vuole fare con gli altri, niente che si vuole iniziare con le altre. Abbiamo le nostre versioni di insistenza o persistenza nello studio.

**Fred:** La forma non è lo sradicamento dell'informale. La forma è ciò che emerge dall'informale. Quindi, l'esempio classico di quel tipo di canzone di cui parli, Stefano, è *What's Going On?* di Marvin Gaye, e naturalmente il titolo te lo sta già facendo sapere: dannazione, sta succedendo qualcosa! Questa canzone emerge dal fatto che qualcosa stesse già succedendo. Riconosciamo poi, da una certa prospettiva limitata, che ci sono queste persone che si aggirano e parlano e si salutano – e poi, da tutto questo, emerge qualcosa che riconosciamo come musica. Ma allora, se ci pensi per un dannato mezzo secondo, dici: «Ma la musica stava già suonando». Si stava già facendo musica. Così, ciò che emerge non è la musica in una qualche forma generale, in opposizione al non-musicale. Ciò che emerge è una forma che nasce da qualcosa che chiamiamo informalità. L'informale non è assenza di forma. È la cosa che dà forma. L'informale non è informe. E quello che queste persone stanno facendo all'inizio di *What's Going On?* è studio. Ora, quando Marvin Gaye inizia a cantare, anche questo è studio. Non è uno studio che emerge dall'assenza di studio. È un'estensione dello studio. E la musica popolare nera – ho più familiarità con le cose fatte dagli anni '60 in poi – ne è piena. Diventa qualcosa di più di quello che si potrebbe chiamare una tecnica – ed è anche molto legata alla nozione di album dal vivo. Il punto è che non è solo una tecnica. È più di un semplice tropo. È quasi come se tutti dovessero, diciamo, sviscerare quel momento nelle loro pratiche di registrazione, solo per ricordarsi, e per farti sapere, che è da qui che viene la musica. Non è venuta dal nulla. Se è venuta dal nulla, se è venuta dalla non-cosa, sta fondamentalmente cercando di farvi sapere che avete bisogno di una nuova teoria della non-cosa e di una nuova teoria del nulla.

**Stefano:** Sì, e questo riguarda anche tutta la musica rap, che è sempre sul punto di dire: «È qui che viviamo ed eccovi questo suono».

**Fred:** Te l'ho detto: «This is how we do it». I miei figli ascoltano un po' di schifezze, e io cerco di non farlo, ma a volte dico: «Adesso, lasciate mettere a me un po' di buona musica». Se ascoltate *I'll Take You There* degli Staple Singers, c'è un piccolo ritornello, una piccola quartina, e poi per tutta la parte centrale della canzone c'è solo Mavis Staples che dice alla band di iniziare a suonare. «Little Davie [il bassista] abbiamo bisogno di te ora». Poi lei dice a suo padre, il grande chitarrista Roebuck 'Pops' Staples, qualcosa come: «Papà, papà». Poi, la strofa era: «Qualcuno suoni il piano». Questa è tutta la parte centrale della canzone. Questo è il cuore della canzone. Non il maledetto testo. È lei che dice semplicemente «suonate», e quelli stanno già suonando.

E non è un richiamo all'ordine. È un riconoscimento, e una celebrazione, di ciò che stava già accadendo.

**Stevphen:** O anche James Brown che dice: «c'è il *bridge*[21] qui».

**Stefano:**   Sì, e penso che è per questo che per me... io non riesco a pensare nei termini di una gestione del comune – perché mi sembra che la prima cosa che fa la gestione sia immaginare che quello che è informale o che sta già succedendo richieda qualche azione che possa organizzarlo, piuttosto che prendervi parte, piuttosto che trovare il modo di sperimentare con questo antagonismo generale. Inoltre, penso che per quanto mi riguarda questo è il motivo per cui quando parliamo di una specie di destabilizzazione, quello di cui parliamo è di unirsi a qualcosa che è già permanentemente instabile, a ciò che viene deportato e rubato, in opposizione a ciò che a esso viene imposto. Hai assolutamente ragione, perché Poulantzas quando parla di iniziazione, in pratica, tutto quello che dice è: «Sono le 9 del mattino, accendi le macchine». Voglio dire, non è possibile che possa essere stato l'inizio di qualcosa di significativo, di altro rispetto al controllo.

**Stevphen:** Quando si parla di «organizzazione profetica», cosa intendete per «profezia» o «organizzazione»? Se non chiamate solo in essere qualcosa che non c'era, sto cercando di capire quale sarebbe la nozione di profetico: è chiamare in essere ciò che è già in essere?

---

21   Passaggio di raccordo tra due parti distinte di un brano.

**Stefano:** Per me «profetico» e molti dei termini che stiamo usando sono solo forme per arricchire l'essere, così che non venga appiattito nel modo in cui spesso viene inteso in politica. Secondo me, si tratta semplicemente di pensare all'arricchimento già esistente dell'essere, alla qualità già sociale del tempo e dello spazio, il che significa che si può essere simultaneamente in più posti, ed essere più di unə, e che vedere le cose e sentire le cose è solo un modo di stare con altre persone. Significa avere il punto fisso di ogni punto fisso e di nessunə, come io e Fred diciamo, il punto di vista delle vite rubate, del *containerizzato*, non stabilito e destabilizzante.

**Fred:** Quello che hai appena detto mi sembra giusto. Si tratta sicuramente di vedere e sentire le cose. È buffo, perché sono felicemente sorpreso che abbiamo usato il termine profetico; sono felice che ora sia lì, perché associo così tanto quel termine a Cornel West. Ci sono stati momenti in cui sarei stato fortemente contro l'uso di questo termine, probabilmente a causa dell'associazione con il pragmatismo che West sostiene. Ma ora mi sembra che questo termine sia bello, perché riguarda il vedere e il sentire le cose. Un altro modo per dirlo sarebbe: si parla di poter essere in due posti contemporaneamente, ma anche di poter essere due volte nello stesso posto. In altre parole, è un termine molto legato alla nozione jamesiana del futuro nel presente – e secondo la tradizione, il profeta ha accesso a entrambi. Il profeta è colui che dice la cruda verità, che ha la capacità di vedere l'assoluta brutalità del già esistente e di indicarla, di dire quella verità, ma anche di vedere l'altra via, di vedere quello che potrebbe essere.

Quel doppio senso, quella doppia capacità: vedere cosa c'è proprio di fronte a te, e attraverso questo vedere cosa c'è davanti a te, cosa ti aspetta. Uno dei modi in cui il lavoro accademico è diventato sclerotico, diciamo, è proprio perché immagina che la modalità principale (di un certo tipo di lavoro accademico di sinistra, in particolare) sia una specie di visione chiara di ciò che sta realmente accadendo in questo momento – e che il lavoro sia riducibile a questo. Oppure, per dirla in un altro modo, finché è così che si concepisce il lavoro, si pensa che si lavori veramente solo quando il lavoro è assolutamente privo della dimensione del gioco, dove per gioco si intende una finzione, un vedere cosa potrebbe essere, una fantasia.

## AL DI LÀ E AL DI SOTTO
## DEL RICHIAMO ALL'ORDINE

Stevphen:    Vorrei approfondire la questione del richiamo all'ordine e, più in particolare, del mancato richiamo all'ordine. Prendiamo, ad esempio, l'album *Nation Time* di Joe McPhee. In un certo senso, sembra davvero che McPhee stia richiamando all'ordine, stia facendo la paternale al pubblico in una serie di chiamate e risposte: « What time is it?» «Nation time». Ma per altri versi, qualsiasi ordine impostato secondo quel richiamo all'ordine, se lo è, allora si spezza rapidamente o muta in qualcos'altro attraverso l'improvvisazione collettiva. Fred, questo si collega strettamente a come descrivi la nerezza, ovvero come qualcosa che accade «nella rottura» – ma mi chiedevo come si possa allo stesso tempo richiamare all'ordine e richiamare al mutamento, o a una rottura, o forse a un genere diverso di ordine.

**Fred:**     Ho sempre pensato che l'enunciazione di *Nation Time* – quando Amiri Baraka la canta per primo, quando McPhee la riecheggia e ci gioca con il riff, dandole una nuova forma – è davvero una sorta di annuncio dal tono internazionale e, oltre e attraverso di esso, anti-nazionale. A me sembra che il nazionalismo nero, come estensione del panafricanismo – che è resistenza a una data Africa all'interno dell'Africa, vista esattamente come una combinazione venale, amministrativa e accumulativa di accaparramento e spartizione – interrompa la nazione. Voglio dire che per me ha senso solo in qualità di resistenza, ricca di differenziazioni interne, all'imposizione di Westfalia, compiuta a pieno titolo come invenzione e distruzione simultanea dell'Africa, come brutale interazione tra la ferocia coloniale e l'organizzazione di omicidi razziali su larga scala. Quella che viene chiamata lotta nazionale, il modo in cui si presenta nella rivendicazione culturale, quello che si mostra come oppressione internazionale in opposizione a quella nazionale e all'imposizione della brutalità locale, è esattamente tutto ciò di cui Fanon è alla ricerca – per criticare, ma anche per distruggere e disintegrare il terreno sul quale si reggeva il colonizzatore, il punto di vista da cui emana la violenza del colonialismo e del razzismo. Non credo che ce lo stiamo inventando. Insomma, penso che quello che stiamo facendo è reale – questo fenomeno in cui l'appello alla nazione è un anti-nazionalismo, in cui il richiamo all'ordine è, infatti, un richiamo al disordine, un richiamo per completare la lisi. Credo che la tua domanda, Stevphen, si riferisca a questo e mi sembra che sia quello che sentiamo quando ascoltiamo la versione di McPhee.

E la cosa interessante è la striatura tra la sua chiamata e la risposta a essa. Nessuna purezza di tono, né nei suoi fiati, né nella sua voce, né nelle voci di coloro che – in mancanza di un termine migliore – rispondono; il solista è già meno e più di uno e, come dice Cedric Robinson in *The Terms of Order*, che è davvero una meravigliosa e bellissima ode al disordine, colui che si dice abbia donato la chiamata è in realtà un effetto di una risposta che lo aveva anticipato, ovvero l'informalità generativa dalla quale emerge la sua forma. Coloro che rispondono, conoscono già la risposta alla domanda che gli hanno fatto porre. Sanno già che ora è, e quella combinazione di risposta e domanda, quel raccoglimento nell'intervallo rotto e improvvisato di tutte quelle voci già spezzate è quando la musica diventa una domanda, prende la forma di una domanda che si presenta come una sola voce o una chiamata nazionale. È come un delirio (come direbbe Deleuze attraverso Hume), che prende la forma, si muove nell'abitudine, si mette nei panni di un'articolazione sovrana, qualcosa che diremmo con un «io» o un «noi». Ma che cos'è, in realtà – che cos'è quando la gente dice stronzate come: «Che cos'è?» – se non un relè di respiro che viene da qualche altra parte, che sembra venire dal nulla. Non solo è facile sbagliare l'origine, ma sbagliare proprio tutto, quando si pensa in termini di un'origine. Ma non penso che McPhee fosse o volesse essere originario. Forse c'è un modo segreto, rivelato da qualche parola unica e segreta, per muoversi attraverso queste organizzazioni e disorganizzazioni costanti della domanda, che prende la forma in deformazione di una sola voce che acconsente e richiede la sua moltiplicazione e divisione.

Quell'affermazione che Fanon fa in *Pelle nera* sulla domanda – ovvero che quest'ultima è nevrotica, in una concezione preesistente di ordine psicologico, di normalità, o di qualsiasi altra cosa – è legata al riconoscimento che un movimento anticoloniale tenderebbe necessariamente verso il disordine completo, la lisi totale. E la nevrosi è legata non solo al fatto che, dal punto di vista della sovranità, la domanda di distruzione della sovranità non ha senso, ma anche al fatto che la domanda è espressa nella sua lingua convulsa, nella folle consuetudine di chi pensa di essere l'uno. Quindi il punto è che il richiamo all'ordine è un richiamo al e dal disordine. Ecco secondo me da dove viene McPhee. Se ascolti bene, puoi sentire da dove viene.

**Stefano:** Per me, per quanto riguarda il movimento delle occupazioni, c'erano tre cose in gioco al tempo stesso, che si potrebbero chiamare richiesta, domanda, e chiamata. La richiesta è fondamentalmente quella cosa per cui Wendy Brown stessa è sempre così paranoica: che si sta facendo una richiesta all'autorità, e facendola, ci si sta già compromettendo. Di sicuro, c'erano persone nelle occupazioni che quando la gente diceva «domanda» quello che veramente sentivano era «richiesta» – richiesta a qualcuno – «vogliamo che riformiate le banche, vogliamo che facciate questo». Poi c'è la domanda, che non è negoziabile, che è quello che credo interessi a Kathi Weeks. Ma poi, poco fa, parlavate di una chiamata, un richiamo al disordine, che è già una attuazione, una attuazione ontologica di qualcosa. Quindi, la domanda è senza compromessi, ma si trova ancora nell'ambito della postulazione di qualcosa che non c'è, che va bene perché ci sono cose che effettivamente non ci sono qui. Ma penso che per la chiamata (nel modo in cui la intendo, cioè come nella chiamata e risposta) la risposta è già lì prima che la chiamata si manifesti. Sei già all'interno di qualcosa.

Per me, la chiamata è quello che questi ragazzi stavano cercando di dire quando hanno detto: «Ma queste sono richieste biopolitiche»; o «Questa è una politica biopolitica», cioè, non è una politica del richiedere qualcosa dall'autorità né del pretendere qualcosa nonostante l'autorità. Piuttosto, era già in atto una sorta di domanda, soddisfatta nella chiamata stessa. Non credo che questo sia stato del tutto chiaro né a me né forse ad alcune persone del movimento Occupy – forse per alcuni è stato allarmante quando era chiaro; è stato certamente allarmante per l'autorità quando era chiaro. E a mio parere è stato certamente più chiaro nelle e a causa delle rivolte di Londra, e non nel movimento Occupy. Quelle rivolte, di cui Fred ha brillantemente scritto delle cose altrove, e di cui qui ne parliamo come irruzioni di logisticalità, di ciò che dà luogo alla scienza capitalista della logistica, oggi in un modo incontrollato. La cosa interessante di questi disordini è che tutti i ragazzi, con i quali ho poi parlato dopo i tre giorni di rivolta, hanno detto la stessa cosa: «Per tre giorni abbiamo mandato avanti Londra. Per tre giorni Londra è stata nostra. Per tre giorni ha funzionato in base a come volevamo che funzionasse». E fondamentalmente, non hanno preteso nulla. Sono solo usciti e via. C'è stata una chiamata:

usciamo e mandiamo avanti la città per tre giorni. Ora, forse non l'hanno fatto esattamente nel modo in cui lo avrebbero fatto tutti, se la chiamata fosse stata più ampia o diversa. Ovviamente, tutti quei ragazzi hanno ricevuto condanne al carcere incredibilmente assurde. Occupy non è stato niente a confronto con quelle rivolte, sul piano della feroce repressione di stato nel sistema giudiziario. Non voglio dire questo per minimizzare alcune delle violenze contro quelli del movimento Occupy negli Stati Uniti. Le rivolte erano veramente un luogo dove si vedeva questo tipo di chiamata. Quindi, non mi sorprende che la chiamata attraverso i social media sia stata la cosa più rapidamente criminalizzata.

Fred: Voglio dire qualcos'altro sulla domanda. Voglio insistere ancora un po' su questo termine. La ragione per cui lo faccio è perché vedo sicuramente la differenza tra richiesta e chiamata, e voglio quindi tornare alla storia della parola «domanda», che significa anche «fare una rivendicazione», e a volte «fare un'istanza legale» – e l'intera nozione di domanda implica il fatto che si parli con una sorta di autorità. L'autorità della domanda potrebbe essere fornita dallo stato, nella misura in cui, quando fai la domanda, presti servizio come ufficiale di stato per avere il supporto dello stato e dei suoi violenti poteri coercitivi, quando fai la domanda. Ma c'è anche la nozione di una rivendicazione, o di un appello, in cui l'autorità della domanda proviene da una sorta di delirio multifonico, o da una fantasia, che mina l'autorità univoca della sovranità. Questo è quello a cui penso riguardo a McPhee e al suo tono. Ascoltate quel disco.

Siamo nel 1970. Coltrane è morto nel '67, ma è ancora nell'aria, ovunque. E nel suo tono, che era un tono d'appello – «appello» è una parola interessante, che vuol dire sia fare un appello, attrarre, ma anche suonare a distesa – c'era un'intensità urgente nel suo suono, una stridenza. Quindi, quello che sto cercando di dire è che c'era quest'idea di cacofonia nella domanda.

In pratica, c'erano due elementi quando la gente diceva: «Non vogliamo fare alcuna domanda». Un modo potenziale per dire che stavamo resistendo a fare una domanda è dire che quello a cui stavamo veramente resistendo era fare una richiesta. Non volevamo fare una domanda, perché fare una domanda è essenzialmente fare una richiesta, che fondamentalmente significa aderire all'autorità dello stato di accettare o rifiutare la tua richiesta, dopo aver riconosciuto la tua posizione, il tuo diritto a fare richieste; anche se è la fonte del tuo danno, anche se il tuo riconoscimento da parte dello stato raddoppia, e non rimedia, quel danno. Questa è una formulazione alla Wendy Brown. Poi, ho pensato che un'altra versione di ciò avesse a che fare con il fatto che la domanda emerge da un certo tipo di autorità. Il discorso correttamente autorizzato e autorevole di una domanda prende la forma di un discorso univoco, unico. In sostanza, una sorta di parlante sovrano sta ora sovrastando, o cercando di raccogliere all'interno del proprio discorso antifonale, tutti questi altri tipi di discorso. Quindi, ancora una volta, emerge una nozione univoca e unica della domanda, quando in realtà quello che abbiamo è un intero gruppo di persone che fa un sacco di domande, alcune delle quali sono contraddittorie – e noi volevamo mantenere quella sorta di molteplicità antifonale e anatemica, perché era questo il punto.

E se il discorso autorevole si distaccasse dalla nozione di oratore univoco? E se il discorso autorevole fosse in realtà dato nella molteplicità e nella multivocalità della domanda? Questo era qualcosa che accadeva anche nella musica in quello stesso momento, perché la figura del solista veniva dislocata. Anche se il solista, in un certo senso, occupava solo temporaneamente un certo tipo di posizione sovrana, il ritorno alle pratiche di improvvisazione collettiva significava questo: «Stiamo facendo una musica abbastanza complessa e abbastanza ricca, in modo che quando la si ascolta si sentono molteplici voci, molteplicemente formate. Stiamo dislocando la centralità del solista». Oppure, in altre parole si potrebbe dire che anche all'interno della stessa figura del solista c'è questo esaurimento e aumento dello strumento, questo formicolio del sassofono – e questo è qualcosa che si sente quando McPhee suona *Nation Time*. Suonava gli armonici su uno strumento a fiato, per farlo diventare qualcosa di diverso da uno strumento a nota singola; diventava a corde, sociale. E quest'esecuzione cordale si presenta a noi auralmente come un insieme di urla, come il suono di un clacson, come qualcosa che era stato codificato o denigrato come extra-musicale – come rumore piuttosto che segnale. Sto cercando quindi di considerare questa nozione di domanda come appello, rivendicazione, come qualcosa in cui non si fa appello allo stato, ma ci si interpella e attrae l'un l'altrə. Un appello presentato così: state facendo tutto questo suono, state facendo tutto questo rumore. Siete un *ensemble*, e tutto ciò risuona inseparabilmente con le nozioni di studio e di socialità di cui abbiamo parlato.

Voglio dire che sono d'accordo con tutto quello che dici sulla chiamata, ma credo di voler tenere o mantenere questa parola, la «domanda», solo per il modo particolare in cui la indica Fanon, perché ne parla in relazione alla comprensione interessata e normativa della nevrosi da parte del colonizzatore.

**Stefano:** Quella parte mi piace, ma mi interessa ancora di più la parte in cui la domanda per Fanon sembra futuristica. Mi sembra che, quando siamo tornati a occuparci delle Pantere nere, una delle cose più interessanti era il loro programma rivoluzionario, che in parte riguardava la preservazione. Quindi, era come una rivoluzione nel presente della vita nera già esistente.

**Fred:** Ascolta, il punto è questo: hai ragione. Mi piace il fatto che Fanon la associ alla nevrosi. In *Pelle nera*, il nevrotico è problematico – e penso che sia molto legato o che accenni a una certa comprensione della socialità nera come patologica, e non c'è nulla di tutto questo che Fanon voglia preservare in *Pelle nera*. Penso che, invece, lo voglia fare molto di più nei *Dannati della terra*. La nevrosi è, allo stesso tempo, anche la condizione del sovrano, il tentativo abituale di regolare il disordine generativo generale. Che cosa significa richiamare al disordine «nella lingua nativa» del sovrano? Come si arriva alla continua evasione della natalità, che è da dove o ciò da cui proviene o, più precisamente, passa quel richiamo? Il percorso forgiato dalla negazione e dall'inversione non ti porta lì, o ti porta in un luogo diverso da quello, qualche illusione di origine o di casa, qualche posto disponibile a (o attraverso) un movimento di ritorno. Penso che Fanon cerchi sempre di andare controcorrente rispetto a questo itinerario di ritorno, questo rovesciamento di immagine o di punto di vista. Ma ciò spiega perché è così cruciale non abbandonare l'opera di Césaire, Baraka o Samuel Delany, per poter capire che i vari ritorni che loro sembrano inscenare o comporre sono sempre più, e meno, di questo. Fanon capisce che l'assunzione di una posizione anticoloniale sembra folle, dal punto di vista della norma. Per me questo è innanzitutto un bene. È qualcosa che vale la pena sostenere. In altre parole, si tratta di dire: «Ho intenzione di rivendicare questa cosa che sembra folle dal vostro punto di vista». Ma naturalmente, penso che il problema con Fanon in *Pelle nera* sia che si può fare questa cosa che sembra folle dal punto di vista normativo, ma che ovviamente, in qualche modo complicato, non c'è una prospettiva non normativa. Il non normativo è appunto l'assenza di un punto di vista, motivo per cui non può mai riguardare la preservazione. Alla fine, credo che Fanon arrivi a credere nel mondo, cioè nell'altro mondo dove abitiamo e, forse, persino coltiviamo questa assenza, questo luogo che si presenta qui e ora, nello spazio e nel tempo del sovrano, come assenza, oscurità, morte, e come cose che non sono (come direbbe John Donne).

E vorrei dire, controcorrente rispetto a Fanon, ma in un modo che lui mi permette e mi richiede di dire: no, guardiamo questo schifo dal nostro punto di vista, dalla prospettiva di quelli che sono relegati nella zona della follia o, per essere più precisi, spero, dalla prospettiva assente, o dall'assenza di prospettiva del delirante, del più e meno che folle. E quello che diciamo è che lo riven-dichiamo, non solo perché va contro la natura delle norme, non solo perché ci permette di richiedere qualcosa in futuro; lo rivendichiamo perché questo è ciò che siamo e ciò che facciamo in questo momento. Fanon non lo dice in *Pelle nera*, ma in pratica, verso la conclusione del libro, credo che ci stesse arrivando. Non si tratta semplicemente di reprimere o dimenticare le insidie della spontaneità, o i problemi della coscienza nazionale; si tratta, proprio all'opposto, di ricordare loro e la cosa che li manda; di considerare ciò che si muove verso, e dentro, questa inte-razione tra lo studio e un senso sempre più in espansione di chi e cosa siamo. Il «chi, noi» derridaiano è già attivo nell'atmosfera algerina di Fanon – quella questione aperta dell'umano e del suo suono che ora possiamo ulterior-mente riversare in un'ecologia generale, o in qualcosa come un «piano di immanenza» deleuziano. E penso che dall'ultima opera di Fanon si potrebbe proiettare qualcosa all'esterno, tornando poi su (e cercando di capire qualcosa da) quella reciprocità tra il nevrotico e la domanda che lui comincia ad affrontare nei capitoli dei *Dannati della terra* sui disturbi mentali e la lotta anticoloniale, perché rico-nosce che quest'ultima è tutta legata alla forma di cogita-zione radicale, non normativa, che deve essere (perché lo è) pensata in un altro modo. Com'è che diceva Shakespeare?

Il pazzo, l'amante e il poeta sono tutti e tre composti sol di fantasia. Basta modificare: il pazzo, l'amante e la guerriglia anticoloniale – giusto? – sono di immaginazione tutti composti. E questa è una formulazione estetica che Shakespeare fa. Ma ha enormi implicazioni sociali che devono essere ricavate, e alle quali in un certo senso Fanon fa cenno; qualcosa che associamo alla nerezza e agli undercommons, qualcosa a cui Fanon cerca di arrivare, a cui cerchiamo di imparare come arrivarvi, come tendervi. Ma quello che intendiamo per zona sociale della nerezza e degli undercommons è esattamente la zona in cui si fa questa rivendicazione – cosicché la domanda appare come una cosa intonata doppiamente, un'enunciazione nell'interesse di qualcosa di più di quello che rivendica. Stai dicendo quello che vuoi – anche se quello che vuoi è più di quello che dici – nello stesso momento in cui stai dicendo quello che sei sotto le sembianze di ciò che non sei. C'è quest'altra formulazione di Baraka, che anche McPhee sicuramente conosceva: «La nuova musica nera è questo: trovare il sé, poi ucciderlo». Una cosa del genere viene detta dal punto di vista nevrotico, nell'abitudine nevrotica, del solista. Ma il solista non è uno. Proprio come si trattava sempre di qualcosa di più del «diritto al voto», o del sapore dell'acqua che sgorgava da questa fontana, opposta a quell'altra.

**Stefano:**    E penso che in parte sia collegato direttamente alle vite stivate, perché significa che ti sei disormeggiato da un punto fisso. Una volta che sei in tutti i circuiti del capitale, allora sei in ogni punto, e a quel punto, la domanda diventa qualcosa del futuro e del presente che è stato realizzato e deve ancora accadere. Così, secondo me questo si collega di nuovo a quello di cui parlavamo prima sul sentire e vedere le cose, e sulla relazione tra domanda e profezia, che ancora una volta è totalmente collegata al fatto dell'essere statə stivatə e deportatə.

Fred:      È proprio come quello di cui parlavi: in un'altra versione delle vite rubate, della logisticalità, Woody Guthrie passa furtivamente e clandestinamente da un vagone all'altro con persone che sono l'una il cuscino dell'altra. E da questa immagine puoi subito proseguire senza interruzione fino a «I ain't got no home anymore in this world». E si può proseguire sempre armoniosamente da «I ain't got no home anymore in this world» fino a *Ascension* o *Interstellar Space* di Coltrane, ad esempio, in cui la forma musicale è tutta incentrata sull'interruzione, sulla creazione di una nuova forma, al di fuori della nozione di una sorta di necessario ritorno strutturale a un elemento tonico. Pertanto, non c'è un centro tonale. Non c'è una casa come quella. Le improvvisazioni sono disormeggiate in questo modo. E ovviamente, questo è anche qualcosa che si manifesta in Arnold Schoenberg, o in tanti altri. Quindi, il punto sarebbe riconoscere che le estetiche più avventurose e sperimentali, quelle dove la dissonanza viene emancipata, sono in stretto contatto con l'esperienza più fottuta, brutale e terribile di essere simultaneamente vite stivate e abbandonate. Si tratta di quella logisticalità a doppio taglio, dove chi viene deportato è anche un contrabbandiere che porta qualcosa – e quello che porta è, prima di tutto, una sorta di non localizzabilità radicale. Il fatto è che c'è un certo modo di pensare a quell'impossibilità di essere localizzatə, a quell'esaustione di luogo che può essere intesa solo come privazione. Così, ad esempio, attraverso Frank Wilderson che, quando elabora la sua teoria dell'antagonismo speciale che struttura la vita nera nel mondo amministrato, offre anche la brillante articolazione di questo desiderio di casa – «Non voglio essere un vagabondo cosmico» – che è necessario per ogni possibile forma di abbraccio della condizione del non avere una casa. Woody Guthrie era un vagabondo cosmico, Coltrane era un vagabondo cosmico, quindi anche se potessi essere qualcosa di diverso da un vagabondo cosmico, penso che quello che farei è abbracciare la condizione del non avere casa per le possibilità che offre, per quanto quella condizione e quelle possibilità siano difficili. La condizione di chi non ha casa è difficile, non c'è dubbio. Ma la casa è più difficile. Ed è più difficile per te, e anche per ogni altra dannata vita di questo mondo. Non sono per forza interessato alle fatiche del colonizzatore. Le orribili difficoltà che il colonizzatore si autoimpone non sono la mia più grande preoccupazione, anche se alla fine sono una cosa reale. È l'«imposizione generale della separazione»,[22] per usare le diaboliche parole di Theodore Roosevelt, che sto cercando di pensare e di minare. Sapeva che l'individualismo possessivo – che l'individuo dotato di auto-possesso – fosse pericoloso per i nativi americani quanto una coperta infetta dal vaiolo. La civiltà, o più precisamente la società civile, con tutta la sua ostilità trasformativa,

---

22 Riferimento alla legge nota come *Dawes Severalty Act* (1877) con la quale si regolavano i diritti territoriali sulle terre e sulle riserve delle popolazioni indigene e native degli Stati Uniti.

è stata mobilitata al servizio dell'estinzione, della scomparsa. Questo schifo è fatto di genocidio. Fanculo una casa in questo mondo, se pensi di averne una.

**Stefano:** Proprio come quelli con cui siamo andati a scuola o forse alcuni dei tuoi studenti a Duke o in effetti, e generalmente parlando, come i colonizzatori del globo.

**Fred:** Sì, beh, quelli che felicemente rivendicano e accettano il proprio senso di sé stessi in qualità di privilegiati, non sono la mia preoccupazione principale. Non mi preoccupo di loro, per prima cosa. Ma mi piacerebbe se riuscissero ad avere la capacità di preoccuparsi per sé stessi. Perché allora forse potremmo parlare. È come quella cosa che direbbe Fred Hampton: «Potere bianco per i bianchi. Potere nero per i neri». Quello che penso volesse dire è: «Guarda: il problema della coalizione è che la coalizione non è qualcosa che emerge in modo che tu possa venire ad aiutarmi, una manovra che viene sempre ricondotta ai tuoi interessi. La coalizione emerge dal riconoscimento che stai nella merda anche tu, nello stesso modo in cui abbiamo già riconosciuto che stiamo nella merda noi. Non ho bisogno del tuo aiuto. Ho solo bisogno che tu riconosca che questo schifo sta uccidendo anche te, anche se molto più dolcemente, stupido coglione, o no?» Ma, penso che quella posizione in cui non hai un posto, una casa, in cui sei letteralmente fuori dal centro, fuori dal tracciato, non localizzabile, sia importante. Di nuovo, penso che ci sia qualcosa da imparare da quel passaggio di Fanon del doppio allineamento della domanda con la nevrosi. È come dire...

in pratica, è come Malcolm X, quando parlava della distinzione tra *house negro* e *field negro*. E la distinzione principale che avrebbe fatto era che quest'ultimo avrebbe detto: «Dove posso trovare un lavoro migliore di questo? Dove posso trovare una casa migliore di questa?» Reclamava un luogo che non era proprio suo, ma quello che in realtà reclamava era la possibilità di una locazione. E Malcolm fa: «No! Starò fuori nel campo. Non solo nella speranza di qualcosa di più, qualcosa di diverso da quello che pensi di avere, ma anche perché c'è qualcosa nel campo; che anche nella privazione, c'è un'apertura».

**Stefano:** Sì, penso che sia anche qualcosa che ho provato di nuovo durante queste rivolte a Londra. Si tratta sempre di «Perché stanno sfasciando il loro quartiere?» Naturalmente, da un lato, è che non sono loro i proprietari di quei quartieri. Ma dall'altro è anche qualcosa del tipo «Che ci deve essere qualcosa di meglio di una casa».

**Fred:** È così, che cosa ha detto la ministra degli Interni? Quali sono le cause dei disordini? E lei fa: «criminalità generalizzata».

**Stefano:** Non sa quanto fosse vicina alla verità.

**Fred:** È ridicola, eppure c'è qualcosa di profondo e abbastanza vero in questo. Penso che si possa affermare che l'essere umano nel mondo è, e dovrebbe essere, pura criminalità. Il che implica anche, prima di tutto, che fare leggi è un'attività criminale.

**Stefano:**  Quella roba giurisgenerativa...

**Fred:**  In pratica è come se quei ragazzi dicessero qualcosa come: «Fanculo questa roba». E hai ragione, se stai insinuando che Occupy non sia mai arrivato a tanto.

**Stefano:**  Esatto, non ci è arrivato.

**Fred:**  Alcuni dicevano all'inizio: «Occupiamo tutto. Occupiamo ovunque» – e questo è più in linea. Ma se dici «Non verremo a casa tua e non ti disturberemo», e se questo è il meglio che puoi fare, allora va benissimo lo stesso. È meglio infastidire a morte qualcuno piuttosto che morire. Ma possiamo anche andare oltre.

**Stevphen:**  Un'altra cosa che volevo chiedere. Penso che parte della reticenza circa la «domanda» dipenda anche da un certo disagio avvertito nel pensare o nel relazionarsi allo stato, e nel rapportarsi con lo stato. Vi chiederò due o tre cose, quindi potrebbe essere un po' un casino. Per non farmi troppo prendere dalle definizioni, sto cercando di capire la differenza tra il modo in cui considerate gli undercommons e, diciamo, l'infrapolitica, o le cose che vengono fuori da gruppi come Tiqqun, quando si parla di zone di opacità. Come si affronta questa nozione, in particolare in relazione al pensiero sullo stato? Una delle cose su cui ho cercato di insistere per diversi anni, Stefano, è la tua reazione diciamo impulsiva a qualcuno come James Scott. Tu dici «James Scott» e quello comincia ad agitarsi!

Undercommons

**Fred:** In dodici anni non ha mai avuto nessuna reazione impulsiva! Mi piacerebbe vederla.

**Stevphen:** La mia domanda ha qualcosa a che fare con la sua visione dello stato e in particolare con ciò che non può essere portato nello stato. Quindi, in un libro come *Lo sguardo dello Sato*, ci sono alcune cose che lo stato non può capire. Non può capire l'infrapolitica, gli è completamente incomprensibile. Il mio sospetto è che direste: «No, è stupido pensarla così. Lo stato ha certamente compreso l'infrapolitica. Lo fa in ogni momento». Ed è per questo che voglio chiedervi della differenza tra under-commons e infrapolitica in relazione allo stato. Immagino che siate meno reticenti riguardo al ruolo dello stato.

**Stefano:** Beh, non è che io sia meno reticente. Sono meno convinto che ci sia una cosa chiamata stato, perché ci lavoravo dentro. Ok, governo e stato non sono la stessa cosa, ma non sono mai stato in grado di capire lo stato se non come effetto di certi tipi di lavoro. E, quando avevo a che fare con questi lavori, c'erano tutti i tipi di under-commons nei settori in cui lavoravo. C'era un sottolavoro. Nel governo, lo studio era in corso tutto il tempo. E se il governo produce essenzialmente e in vari modi effetti di stato, che sembra essere quello che pensano Tim Mitchell e alcuni dei tizi più scaltri che ruotano intorno alla teoria dello stato, allora per me non si tratta di essere contro o per lo stato, si tratta di essere, come direbbe Tronti, dentro e contro lo stato, ma anche con e per gli undercommons dello stato. Quindi, non mi schiero dalla parte di chi dice che c'è uno stato, c'è un'economia, c'è una società, che ci sono addirittura, e in un modo così evidente, lo stato e il capitale. Ho un approccio più fenomenologico allo stato, se posso usare questa parola che odio. Quando lo vedi da vicino, succedono molte cose lì dentro. La maggior parte è negativa. Molti degli effetti sono negativi. Ma, allo stesso tempo, alcune delle migliori forme di studio, alcune delle persone sottocomuni più straordinarie hanno lavorato e lavorano in enti governativi, enti governativi locali della Motorizzazione.

Ricordo che una volta entrai. Mi ricordo di me e del mio amico Pete, cercavamo di avere una copertina per *State Work*, un libro che stavo scrivendo proprio su queste cose. Siamo entrati alle poste, quelle nel centro di Manhattan che poi hanno chiuso. Era ai tempi in cui l'ufficio postale era pieno di persone che in effetti lavoravano lì, prima degli attacchi dell'11 settembre 2001 a New York. A dire il vero, sono andato a quella di Durham di recente, e mi ha ricordato com'era a New York prima che fosse tutto securitizzato. C'erano solo poche persone, ma era proprio così: un grande, vecchio ufficio postale. Ognuno aveva il suo sportello, e nell'ufficio postale di Lower Manhattan dietro quasi ogni sportello c'era una donna nera o latina, che lo aveva completamente decorato. Ed era pieno di poster di Mumia, foto di bambini, foto di Michael Jackson, foto di cose del sindacato, c'era di tutto. Quindi, ogni volta che ci andavi, ogni sportello aveva un aspetto diverso. E io: se queste sono le persone che dovrebbero provocare un effetto chiamato stato, allora ci deve essere un undercommons anche qui. Perciò, per me non serve dire: posso fare questa cosa e sarò invisibile allo stato. Oppure, non farò un appello perché altrimenti lo stato mi prenderà. Non vuol dire che lo stato non mi sbatterà in carcere, o che non sbatte la gente in carcere sempre. Semplicemente non mi piace iniziare da quella posizione.

**Stevphen:** Sembra più una sorta di proiezione di un personaggio feticcio accidentale dello stato, che considera quest'ultimo come un insieme unitario, coordinato e, naturalmente, molto sensibile.

**Stefano:** Sì, e penso anche al fatto che le persone lavorino su uno stato affettivo – e c'è qualcosa che succede che forse non succede nella produzione privata perché hai la sensazione che stai producendo l'effetto. Ora, questo è diventato più comune in ogni altro posto. Quindi, c'è stato un modo in cui, beh, c'era una certa idea che quando si lavorava in industrie produttive si produceva qualcosa. Ora ovviamente tutti pensano di produrre effetti ovunque stiano lavorando. Così, inoltre, mi sembra che un certo tipo di distinzione intorno a questo è venuta meno – e penso che sia interessante come cosa. Inoltre, non sono contro la produzione di effetti. Non penso che ci sia qualcosa di male nel fatto che le persone si riuniscano e imminino di produrre qualcosa di difficile da vedere. La cosa brutta è quando gli succede di immaginare gli stati-nazione.

Credo che questa sia la mia posizione su James Scott [ride]. Sai, ricevo abbastanza critiche per aver attaccato James Scott. Non gli ho mai rivolto un pensiero, veramente! Quando è uscito il libro *State Work*, venivo continuamente criticato dai miei amici degli studi sullo sviluppo, perché a quanto pare chiamavo Scott «un anti-comunista», e questo faceva uscire tutti fuori di testa. Ma lo intendevo solo in senso tecnico, ovvero che era contro il comunismo.

**Stevphen:** In senso tecnico! [ride]

**Fred:** Adesso te la faccio io la domanda Stefano, perché voglio che tu ci racconti qualcosa di più in merito, perché penso che sia veramente importante. In quanto a Scott, cosa pensa di voler dire per stato? Perché quello che dici, Stefano, è che c'è questa cosa monolitica che sembra essere il referente quando le persone pronunciano la parola «stato». E stai dicendo che non è affatto monolitico, e non solo non è un monolite, ma è qualcosa di molto, molto poroso. *Attraverso lo stato* ci sono tutti i tipi di piccole buche e tunnel, fossi, autostrade e strade secondarie che vengono prodotti e mantenuti costantemente dalle persone che, al contempo, stanno facendo questo lavoro che finisce nella produzione *dello stato*. Allora, cos'è che queste persone stanno producendo? Scott sembra riferirsi a un monolite che è ininterrotto dal e nel processo stesso della sua costruzione. È uno di quelli che ci riporta al punto in cui ci chiediamo: cos'è che non ci piace di questo monolite? Bene, il suo potere coercitivo o il suo potere di polizia, o il suo potere di fare policy, di favorire l'elaborazione di policy, o il suo potere di governare o di promuovere la governance e la governamentalità. Quindi di cosa si parla? Gli do credito, o credo, per quanto anticomunista lui sia, credo che sia sincero nella sua antipatia verso il monolite. Nella misura in cui questo monolite esiste, anche io lo odio.

Ma poi, ci sono altre persone di sinistra che non hanno affatto antipatia verso lo stato. E poi penso che vogliano dire: non è una sorta di modalità monolitica di esistenza da cui siamo tutti catturati e in cui siamo contenute a livello delle nostre relazioni affettive l'una con l'altra e delle nostre pratiche quotidiane – perché penso che questo sia ciò che Scott voglia dire in parte. Ma quello che in pratica dicono è: «No, quello che mi interessa è questa cosa che ha un certo tipo di potere coercitivo, e piuttosto che concedere quel potere coercitivo a un idiota qualunque, voglio che sia concesso a me, perché farò la cosa giusta. E la ragione principale è anche che non solo credo che ci farei la cosa giusta, ma credo anche che il tipo di cose che voglio fare in scala possa essere fatto solo attraverso una sorta di stato o di apparati statali». Quindi, il loro stratagemma è: «(a) lo farò meglio e (b) sto pensando a queste cazzate in scala e tu stai facendo lo scemo, perché ti importa solo di queste quattro persone con cui parli in questo momento». Capisci?

**Stefano:** Capisco, e mi interessa anche questa questione della scala, perché questo è il lato della discussione su cui la scala va a finire, e su e con chi va a finire. Ma diciamo che una delle cose che trovo interessanti nella storia del comunismo è questa: in quali circostanze potrei permettermi di essere preso e posseduto dagli altri, essere nelle mani delle altre, rinunciare a qualsiasi sorta di auto-determinazione sovrana, al punto che voterò per ogni decisione, e vi farò da supervisore, che sarò come gli ispettori di Lenin, che vengono qui per assicurarsi che lo stato faccia quello che vuole? Che tipo di comunismo potrebbe esserci laddove posso permettere ad alcune persone di fare qualcosa per me, su scala generale e laddove, allo stesso tempo, anche quelle persone mi permettono in altri momenti di fare questo genere di cose? Così, in che modo stiamo facendo pratica, quando siamo favorevoli a uno spossessamento di noi stessǝ; in che modo stiamo permettendo a noi stessǝ di essere possedutǝ in certi altri modi, permettendoci di acconsentire a non essere uno, in un momento che permette anche alle persone di agire su e attraverso di noi, e che non richiede costantemente la nostra ricostituzione, che penso sia una cosa implicita? E questo è, credo, l'anticomunismo di Scott. La piccolezza di Scott riguarda l'autonomia auto-determinata. Quando sei piccolo e in resistenza, hai sempre il controllo.

Ora, non è che poi invece parteggiamo per lo stato, perché ovviamente – anche se, come dico, lo stato non è la cosa che Scott pensi che sia ma tutta una serie di cose differenti – i suoi effetti sono fondamentalmente deleteri alla fine. Eppure, mi interessa il modo in cui quello che stiamo facendo è già, e può essere già, completamente complesso, che non richiede qualche altro passo e la necessità di praticare qualcos'altro. Gli autonomi hanno continuamente a che fare con questa situazione in Europa. I critici dicono: «Oh, va bene tutto, potete andarvene e farlo insieme, ma noi abbiamo un sistema idroelettrico da mandare avanti qui». E spesso ci cascano e qualche volta sentirete gli autonomi dire: «Cosa significherebbe costruire istituzioni autonome?» E forse li ho fraintesi, ma penso che non devi costruire un'istituzione autonoma. Dovresti elaborare il principio di autonomia in un modo tale da diventare ancora meno di te stesso; o devi lasciarti sommergere ancora di più di quanto lo stai facendo in questo momento. Devi solo fare un po' di più di quelle robe che stai facendo in questo momento, e quel di più produrrà la scala. Quindi, questo è ciò che mi interessa. Mi interessa il modo in cui l'approfondimento dell'autonomia è un approfondimento non solo tra poche persone, non solo secondo quell'intensità che apprezzo, ma anche un approfondimento della scala e delle sue potenzialità.

**Fred:**    Sì, sono d'accordo con te. Parlo di scala non per denigrare la scala, ma per dire che non possiamo cedere la scala alle persone che la immaginano inseparabile dallo stato o da ciò che intendono per stato, che è un insieme di apparati e istituzioni che esercitano il potere coercitivo.

**Stevphen:**  Su questo sono d'accordo. Un'altra cosa che voglio chiedervi è che negli ultimi anni c'è stato un altro risveglio, o un'altra proliferazione, di alcuni progetti di educazione alternativa, da Edu-factory alle scuole gratuite e a ogni sorta di università libere. Quello che ha colpito un po' tutti, quando si lascia l'istituzione, è questo: perché la gente vuole immaginare quello che sta facendo sempre in termini di istituzione? Il limite della concezione di collettività è un'altra istituzione.

**Stefano:**    Vero, io stesso, da tempo, ci ho lottato su questa cosa mentre elaboravo una proposta per la School for Study che pensiamo di fare in Francia. Le prime tre volte che l'ho fatto, ci ho messo dentro un sacco di stronzate che non avevano bisogno di essere lì – era una specie di ricapitolazione dell'università fatta in modi che non dovevano presentarsi. È solo nell'ultima versione che le cambiammo il nome – dopo che Denise l'aveva guardata dicendo: «Perché tutte queste cose inutili? Quello che ti interessa davvero è lo studio, quindi perché non farlo diventare un forum di studio?» – e cominciammo, allora, a capire quello che avremmo cercato di farne. Ed è assolutamente vero che, quando pensi di uscire dall'università, non lo stai affatto facendo. Ti porti dietro tutto questo schifo. E poi, anche Matteo Mandarini ci ha dato una frase interessante. C'è questa frase di Tronti in cui dice: «Lavoro dentro e contro l'istituzione». Quindi, il progetto Queen Mary era questo essere dentro e contro il progetto istituzionale. Ma è stato anche elaborato nelle cose fatte da Precarious Ring, e in altri luoghi, come qualcosa che potrebbe essere conosciuto attraverso la conricerca, qualcosa come «dentro e per». Così, il dentro e contro viene tagliato con una sorta di dentro e per. Quando ci si sposta oltre, in un ambiente autonomo, dove si ottiene più facilmente un po' di spazio e tempo libero, allora quello di cui ci si deve curare è la transizione, per me, tra il dentro e contro – ci passi un sacco di tempo su questa cosa quando sei nel profondo dell'istituzione – e il con e per. E questo cambia un sacco di cose. E tutte queste cose sono sempre in gioco.

Quando dico «con e per», voglio dire studiare con le persone piuttosto che insegnare loro, e quando dico «per», intendo studiare con le persone al servizio di un progetto, che in questo caso, penso, potremmo dire che è più studio.

Quindi, la ragione per cui ci muoviamo in situazioni più autonome è che quel con e per cresce, e spendiamo meno tempo nell'antagonismo del dentro e contro.

Alcune persone amano la produttività dell'antagonismo. Personalmente, non dico che non sia produttivo, ma più mi faccio portare dal con e per, più sono felice. È una sfida però, ricordarlo e farlo, imparare a farlo, se si passa molto tempo dentro e contro, come abbiamo fatto noi. Lo dico solo per dire che – se guardo la transizione del progetto collettivo di Queen Mary da dentro e contro verso il con e per che abbiamo a disposizione nel diventare questo tipo di School for Study di cui stiamo parlando adesso – dobbiamo studiare come farlo. Non sappiamo necessariamente come farlo, e stiamo ancora cercando di capirlo, perché siamo stati dentro così tanto. Non è che si lascia del tutto il dentro e contro – non mi importa per quanto tempo sei in uno squat. Ovviamente, c'è un cambiamento in ciò che diventa possibile, e dove si può prestare attenzione in circostanze diverse.

**Stevphen:** Forse è per questo che l'analisi che entrambi avete fatto del lavoro accademico all'interno di una determinata posizione è necessaria per partire verso una nuova direzione, così che quando uno se ne va non porta alcune di quelle cose con sé.

**Stefano:** Sì, a livello personale, e lo sto dicendo da stamattina e penso che sia ancora vero ore dopo, ho dovuto affrontare quella merda di lavoro accademico, specialmente con Fred, per liberarmi in milioni di modi diversi, incluso quello di addentrarmi di più in questa cosa dell'autonomia. Solo adesso sento che ciò ha avuto un effetto totalizzante, che posso pensare in modo libero da tutta la merda che c'era in me attraverso il processo lavorativo nel quale ero, e rimango, immerso. La prima cosa che *facevo* ogni giorno quando andavo all'università era me stesso, e l'università di questi tempi non è necessariamente il posto migliore per *farti*.

**Fred:**    Sono d'accordo anche su questo. Parlavamo di come per noi fosse un modo di capire chi eravamo, e cosa stava succedendo dove eravamo – e per cercare di tenere più pienamente conto della necessità di capire quali fossero le condizioni di ciascuno di noi. Quindi, diciamo che in qualche modo gli scritti sul lavoro accademico rappresentavano tentativi di locazione e di localizzare, di mappare una sorta di terreno in cui ci trovavamo. E penso che gli scritti successivi siano molto più intenti a cercare di ottenere una sorta di dislocazione e una specie di dispersione – richiedono, così, una certa mobilità. Sono d'accordo con Stefano, beh non so se avremmo dovuto farlo, ma è lì che abbiamo iniziato. Avremmo potuto iniziare in un altro modo.

**Stefano:**   Sì, in un certo senso, gli undercommons sono una sorta di punto di rottura tra la nostra locazione e la nostra dislocazione. Quello che per noi permane a proposito del concetto di undercommons è ciò che questo concetto continua a fare quando lo si incontra in nuove circostanze. La gente dice sempre: «E dove cazzo si trova?» Anche se dici quella furbata marxista del tipo «Ma veramente non è un posto, è una relazione», la gente fa:

«Sì, ma dov'è la relazione?» Ha un effetto continuo in quanto dislocazione, e fa sempre sentire la gente un po' scomoda riguardo ai beni comuni. Per me era come il primo vagone su cui saltavamo clandestinamente.

Fred:      Sì, è una dislocazione. Come direbbe il nostro vecchio amico Bubba Lopez, abbiamo iniziato a saltare da un vagone all'altro.

## DEBITO, CREDITO, AUTONOMIA

Stevphen:    Volevo farvi una domanda in un altro campo, quello relativo al vostro rapporto con l'autonomia: come attingete dal post-operaismo, in particolare come si sovrappone con la tradizione radicale nera? O, più in particolare, qual è il modo in cui queste sovrapposizioni e connessioni vengono superate e ignorate?

Stefano:    Non mi interessa tanto il rapporto in cui il debito dovrebbe essere accreditato, perché per quanto mi riguarda vedo sempre più il predominio di queste due forme di debito nella vita, e sono entrambe così minacciose, così moralistiche. Sapete, come ha detto Marx, il debito è il giudizio morale sull'uomo. Ma lo è anche l'altro tipo di debito, sai: devo tutto a mia madre, devo tutto al mio mentore. Anche questo diventa, rapidamente, molto opprimente e moralistico. Ci deve essere un modo in cui ci possano essere elaborazioni di debito impagabile che non sempre ritornano a una individualizzazione attraverso la famiglia o attraverso il lavoratore salariato, ma invece il debito diventa un principio di elaborazione. E quindi, il punto non è che non dovresti avere un debito con le persone, debito di qualcosa di economico, o un debito con tua madre, ma che la parola «debito» dovrebbe scomparire e diventare un'altra parola, dovrebbe essere una parola più generativa.

So che troppi autonomi italiani non hanno mai prestato sufficiente attenzione alla tradizione radicale nera, e so che ciò continua a succedere tuttora, in qualche modo. Quello che mi interessa di più ora è l'opportunità di collocare questo filone vitale dell'esperimento europeo in una storia più globale. Per esempio, certe cose autonome stanno spuntando ora in India. Se arrivano in India come se venissero esclusivamente dall'Europa, come se si trattasse di un'importazione piuttosto che di una versione di qualcosa, allora la prima cosa che perderemmo è un'intera storia, poiché, per esempio, non conosco abbastanza del pensiero e del movimento autonomo in India, dall'India. Quindi, non si tratta tanto di dare credito a qualcosa, quanto di vedere questo o quello come istanza di qualcosa di molto più ampio. Non sono tanto interessato a correggere le linee genealogiche, quanto a vedere l'autonomia europea come un'istanza di qualcosa, e altri possono inserirla in qualsiasi contesto globale che si voglia, ma per me è un'istanza della tradizione radicale nera, un'eredità generale delle vite rubate, la tradizione impossibile di chi non ha tradizione, una *poiesis* sociale sperimentale.

Stevphen:   Lo stavo chiedendo... non per dire: «Bene, vedi cosa manca, quante cose si sono perse», ma più perché sono incuriosito dai modi particolari di perdere quelle cose. L'autonomia sembra restituire la nerezza in un modo molto leninista. Il che vuol dire: ci preoccupiamo di Detroit e di nessun altro luogo.

Stefano:    Sì. In questo senso ha anche una sfortunata tendenza ad autoriflettersi. L'autonomia ha un problema di avanguardismo dal quale cerca sempre di liberarsi. Si oppone all'avanguardismo, ma si tratta sempre di: «Chi lo fa veramente e chi non lo fa veramente?»
È ancora presa dall'idea che per essere autonomi si debba fare politica, e poi c'è il rischio persistente di una definizione sempre produttiva di chi fa politica e chi no. Questo c'è anche negli scritti di Gambino. Per quanto siano buoni, lui è costantemente alla ricerca del punto in cui DuBois o Malcolm X si incrociano con la vera politica, secondo me. Eppure, come sottolinea Matteo Pasquinelli, l'impulso che dice «Se c'è differenza, allora c'è resistenza», è al centro dell'*Italian theory*, e nel migliore dei casi questa attenzione a quello che chiameremmo l'antagonismo generale è ciò che questa tradizione condivide con la tradizione impossibile ma esistente del pensiero radicale nero.

Fred:    Mi rimetto a quello che ha detto Stefano. Non ho molto da dire al riguardo. C'è una corrente, chiamiamola moralista, molto importante di studi afroamericani e afrodiasporici che potremmo collocare sotto la rubrica della raccolta crediti. E praticamente dice: «Abbiamo fatto questo e quello, e tu continui a non riconoscerlo. Continui a sbagliarne il nome. Continui a fraintenderlo, violentemente. E correggerò il registro e riscuoterò questo debito». E c'è anche una sua componente politica. Forse, la logica delle riparazioni ha in parte a che fare con questo. O anche nel discorso «I have a dream», è come se Martin Luther King dicesse: «Siamo venuti qui oggi per incassare un assegno. Una promessa è stata data. Siamo venuti a riscuotere». Questo è quello che ha detto King. Così, non rinnego quella retorica e nemmeno quel progetto. E, per molti versi, sono un beneficiario di quel progetto, in una maniera assolutamente innegabile, e non voglio negarlo. Penso anche che quel progetto non sia il progetto del radicalismo nero – che non riguarda la riscossione dei debiti o la riparazione. Si tratta di un completo rovesciamento – di nuovo, come direbbe Fanon e come altri hanno detto. Se questa è la vostra preoccupazione, se questo è il vostro progetto, i meccanismi di recupero del debito diventano meno urgenti. O diventano qualcosa di cui ci si preoccupa, ma in modo diverso. Tipo: «Prenderò nota del debito, e annoterò il modo brutale e venale e vizioso in cui il debito non è riconosciuto». Quando si parla di debito, parlare della non solvibilità del debito non significa non riuscire a riconoscere il debito. Ma certa gentaglia rifiuta persino di riconoscere il debito. E penso che molto di ciò che la gente vuole quando vuole risarcimenti è, in realtà, un riconoscimento, e vogliono un riconoscimento del debito, perché ne è una forma; e questo diventa molto problematico, perché la forma di riconoscimento che vogliono si trova all'interno di un sistema già esistente. Vogliono essere riconosciuti dalla sovranità come sovrani, in un certo senso. Quindi, in pratica, posso leggere un vecchio e voluminoso libro sulla storia del marxismo occidentale, e in alternativa posso essere incazzato per il modo in cui il suo autore può scrivere quella storia senza scrivere di C.L.R. James. Oppure, sono incazzato, sconcertato, provo pietà per questa testa di cazzo, o quello che è. Cominci a provare pietà per quella testa di cazzo, ma poi capisci anche le profonde connessioni strutturali tra ignoranza e arroganza. E non puoi dispiacerti per una testa di cazzo ignorante se è anche un pezzo di merda arrogante, e allora ti incazzi di nuovo. Resti incazzato, in realtà. Ma questa non è un'ingiuria personale. Devi prenderla in un altro modo.

Quindi, in pratica, sono d'accordo con Stefano, ovvero sento di voler fare parte di un altro progetto. Il che vuol dire che non sto soprassedendo al fatto; un fatto dal quale non è che sto solo cercando di distogliere lo sguardo. Non voglio accettare in silenzio, senza protesta, tutte le diverse forme di disuguaglianza e sfruttamento che emergono come una funzione del furto e del mancato riconoscimento del debito. Non è solo che sono incazzato perché Willie Dixon non è mai stato pagato nel modo in cui avrebbe dovuto essere pagato per tutte le canzoni che Plant e Jimmy Page gli hanno rubato, ma voglio anche che lui, o suo nipote, rinchiuso, abbia quei maledetti soldi. Non me ne sto seduto qui a dire: «Sono al di sopra di loro che prendono i soldi». Non credo che quello che è successo in generale sia risarcibile, ma se gli Stati Uniti decidessero finalmente di firmarmi un assegno, incasserei l'assegno e lo metterei in banca o andrei a comprarci qualcosa di futile, una Rolls Royce o una Bentley, qualcosa che farebbe davvero infuriare George Stephanopoulos. Accetterei l'assegno, e sarei incazzato perché la somma non è quanto dovrebbe essere. Ma so anche che quello che dovrebbe essere riparato è impagabile. Non può essere riparato. L'unica cosa che possiamo fare è buttare giù completamente questo schifo e costruire qualcosa di nuovo.

Quindi, mi interessa la tradizione dell'autonomia nella misura in cui questa abbia qualcosa di utile da dire sulla possibilità e la praticità di buttare giù questo schifo e costruire qualcosa di nuovo. La mia principale preoccupazione non è che gli autonomi si rifiutino di riconoscerlo, anche se allo stesso tempo il loro rifiuto di riconoscere altre istanze provenienti da un tipo di pensiero simile, o da un tipo di fenomeno sociale simile, ha un impatto negativo sull'utilità di ciò che fanno. Quindi, questo deve essere preso in considerazione come qualcosa che ha effetti materiali. Ma in termini di desiderio di un qualche riconoscimento, in modo che poi Grace Lee o James Boggs o chiunque altro, o simili movimenti al di fuori di Detroit che alcuni autonomi non hanno mai veramente studiato, possano essere notati... oppure, penso che ci sia un tipo di lavoro che la gente vuole fare che potrebbe essere, ad esempio, leggere il libro di George Lewis sulla Aacm[23] e dire «Bene, questo deve essere inteso in un quadro generale che lo associ con il movimento autonomo», o qualcosa del genere – sarebbe una connessione intellettuale importante da creare, forse, qualcuno potrebbe farla e sarebbe una gran cosa. Ma la cosa fondamentale è che penso che una gran parte di quella specie di lavoro, del riconoscere un debito intellettualmente, si fondi

---

23  Association for the Advancement of Creative Musicians, ovvero Associazione per l'avanzamento di musicisti creativi. È un'associazione no-profit fondata a Chicago nel 1965 da Muhal Richard Abrams, Jodie Christian, Steve McCall e Phil Cohran, con l'obiettivo di promuovere giovani jazzisti.

davvero sulla nozione secondo cui la tradizione radicale nera è in qualche modo nobilitata quando diciamo che gli autonomi ne hanno preso qualcosa. È come se questo la rendesse più importante, mentre non ha bisogno di essere nobilitata dai suoi legami con il pensiero dell'autonomia. Piuttosto, ciò che è in gioco è la possibilità di un movimento generale che viene poi incoraggiata quando riconosciamo queste due irruzioni, più o meno indipendenti, di un certo tipo di azione e di pensiero sociale radicale.

**Stevphen:** Grazie per questa riflessione. C'è un'ultima cosa che volevo chiedervi alla quale, penso, avete già iniziato a rispondere in qualche modo. A un certo punto, scrivete qualcosa come: «La giustizia è possibile solo dove il debito non obbliga, non richiede, non eguaglia mai il credito... i debiti che non sono stati pagati non possono essere pagati». Stavo pensando a questo, in particolare in relazione alle recenti richieste di abolizione del debito o a una politica del debito che dica: «No, dovremo sbarazzarci di tutto questo debito». Ma a me sembra che abbiate un senso del debito che non può essere perdonato, non può essere eliminato, e del quale non vorreste liberarvi. Quindi voglio chiedervi, qual è il rapporto tra l'abolizione del debito e il debito del quale non ci si vuole sbarazzare?

**Stefano:** Per me, quando uso il termine «abolizione» lo intendo esattamente al contrario. Secondo me, l'abolizione è una sorta di riconoscimento del fatto che, come dice Fred, non c'è allo stesso tempo nessuna riparazione o nessun risarcimento di debito, e quindi avere qualcosa di simile a un'abolizione del debito sarebbe impossibile.

Voglio dire, potresti avere la remissione dei debiti, ma non userei mai il termine «abolizione» in quel senso. E, in secondo luogo, c'è un'intera storia del debito che non è quella storia di debito, che non deve essere perdonata, ma deve diventare attiva come principio della vita sociale. Può diventare, ed è già in molti casi attivata come ciò che – esattamente come qualcosa che non si risolve in creditore e debitrice – ci permette di dire: «Non so davvero da dove inizio e dove finisco». Questo è anche il mio punto sul debito tra un genitore e un bambino. Se è davvero un debito, allora quel debito che hai è più che per te, non è solo per te, passa attraverso di te, ma era una forma generativa di affetto tra due esseri che è preziosa, perché in certi modi continua. C'è tutta una storia lì, e ciò che significa abolizione, in quel caso, è l'abolizione di qualcosa come il credito, la misurabilità o l'attribuzione, in un certo senso.

Fred:    Credo che è qui che la distinzione fatta da Stefano tra credito e debito sia cruciale. Penso che ciò che le persone potrebbero voler dire, quando si parla di abolizione del debito, è l'abolizione del credito. Ma probabilmente non vogliono neanche dire questo. Quello che probabilmente e tecnicamente vogliono dire è perdono e remissione, cioè: «Perdoneremo questo prestito. Lo rimetteremo. Ora, se ti indebiti di nuovo, vogliamo essere pagati, maledizione!» Invece, quello di cui parla Stefano, penso – e concordo con lui – è un'abolizione del credito, del sistema di credito, cioè forse un'abolizione della contabilità. Quest'abolizione dice che quando cominciamo a parlare delle nostre risorse comuni, quando parliamo di ciò che Marx intende per ricchezza – la sua divisione, la sua accumulazione, la sua privatizzazione e la sua contabilità – tutta questa merda dovrebbe essere abolita. Voglio dire, non si può calcolare quanto ci dobbiamo l'un l'altro. Non è calcolabile. Non funziona nemmeno così. Infatti, è così radicale che probabilmente destabilizza la stessa forma sociale o l'idea di «reciprocità». Ma questo è quello verso cui Édouard Glissant ci conduce quando parla di cosa significa «acconsentire a non essere un singolo essere». E se ci pensate, è una sorta di relazione filiale ed essenzialmente materna. Quando dico «materna», quello che sto insinuando è la possibilità di una socializzazione generale del materno.

Ma quello che c'è in gioco è che... ascolta, ieri siamo andati a vedere questo posto, perché ho in mente un piano per fare una comune. È tipo qualcosa come dieci acri, fuori nel bosco, ed è come un fienile. La casa sta cadendo a pezzi, non credo che vada bene per noi. Ma c'era questa vecchia signora. Lei e suo marito, l'hanno costruita come volevano che fosse. Diceva: «Non voglio vendere», ma ha 91 anni ed è un posto così grande, non riesce a mantenerlo. La gente ci diceva: «Deve a suo figlio centomila dollari». E io e Laura, al ritorno, ci siamo detta: «Come si fa a dovere centomila dollari a tuo figlio? Come fai ad addebitare a un genitore centomila dollari?» È una stronzata assurda e barbarica. Devi essere un mostro inumano anche solo per riuscire a pensare a cose del genere. Sai una cosa? Non è più inumano di dovere centomila dollari alla Wells Fargo Bank. Pensi a prima vista che sia inumano, perché sembra violare una sorta di idea di relazione filiale e materna. Ma è inumano, perché è un modo disumano di intendere il nostro essere negli undercommons. È solo particolarmente spudorato, perché si tratta di una relazione tra madre e figlio. Ma se fosse una relazione tra me e Jamie Dimon, sarebbe una barbarie lo stesso. E questo è il problema. Quindi, l'abolizione del credito, l'abolizione dell'intero modo di guardare al mondo che, diciamo, potremmo porre sotto la rubrica di contabilità, o di responsabilità, o del dover dare conto, o qualcosa del genere, del calcolo in quel senso – l'abolizione di questo, nel modo in cui la pensa David Graeber, ma senza alcun senso di un ritorno a un qualche originario stato di grazia, ma portando con sé, invece, tutto ciò che la storia ci ha imposto. Ed ecco questa discussione sul dove gli autonomi abbiano ottenuto ciò che hanno ottenuto... Sai, amo C.L.R. James, ma la roba che ora va sotto il suo nome non è mai stata sua proprietà privata. Il jazz non è proprietà privata della gente nera. E questo non significa che i musicisti non debbano essere pagati per quello che fanno nel contesto di questo schifo. Quello che sto dicendo veramente quando dico questo è: chiunque respiri dovrebbe avere tutto ciò di cui ha bisogno e il 93% di ciò che vuole – non in virtù del fatto che oggi vai al lavoro, ma in virtù del fatto che sei qui.

Cosa c'è di così disgustoso negli adulti? Vedi un bambino per strada o a casa tua, sai che dovresti dargli da mangiare, giusto? E poi quello stesso ragazzo fa diciotto anni e all'improvviso dici: «Non ti do da mangiare». Cosa c'è di così volgare e nauseante e disgustoso nell'adulto medio da pensare che questo ragazzo non dovrebbe mangiare qualcosa? Voglio dire, devi essere una persona malata per arrivare a qualcosa di simile. Voglio dire, chi è la persona peggiore del mondo? Anche questa dovrebbe avere qualcosa da mangiare.

**Stefano:** Dato che quando inizi a parlare di questo altro tipo di debito stai parlando di una storia di estetica, di amore, di organizzazione, non si tratta solo di ciò che si vuole abolire – che è il credito – ma anche di ciò in cui si vuole vivere, e come ci si vuole vivere. E questo perché il vero debito, il grande debito, la ricchezza di cui parla Marx, è proprio questo: ricchezza. Così, si vuole immaginare un qualche modo in cui tale ricchezza possa essere goduta. E non è gestendola, perché gestirla è il primo passo per contabilizzarla, assegnarla o distribuirla. Si tratta di sviluppare un modo di stare insieme, e di non pensare che questo richieda la mediazione della politica. Ma richiede elaborazione, richiede improvvisazione, richiede una specie di prova. Richiede cose. Solo non richiede contabilità o gestione. Richiede studio.

**Fred:** Eh, ricordo di quando, da piccolo, ero in Arkansas con i miei nonni. Mio nonno stava per dare un passaggio a qualcuno a ottanta miglia dalla nostra piccola cittadina per andare in un'altra piccola cittadina, nella sua piccola Buick Skylark verde del 1969. E c'era tutto questo rituale che si sarebbe verificato e che si svolgeva in due parti diverse. Una parte sarebbe stata che qualcuno, mio nonno, avrebbe dato un passaggio, e prima di scendere dalla macchina, il tale avrebbe detto: «Quanto ti devo?» E lui avrebbe risposto: «Niente».

A volte avrebbe finto qualcosa come: «Perché mi hai chiesto una stronzata del genere?» Avrebbero fatto tutto un giro solo per fare un certo numero di scenette. «È una cosa da niente. Scendi da questa macchina», o qualcosa del genere. Ma, se qualcuno fosse sceso dall'auto senza chiedere quella cosa... allora avrebbe detto qualcosa come: «Figliolo, non si fa così». Devi dare riconoscenza.

**Stefano:**   E si deve provare, perché si è coinvolti nella prova di qualche altra forma dell'essere in debito insieme. Quando diciamo che non vogliamo la gestione, non significa che non vogliamo niente, che tutto resta semplicemente lì e va bene così. Si deve fare qualcosa, ma è un fare performativo, non manageriale.

**Fred:**   E l'altra parte, che era altrettanto importante, era che una volta ogni tanto, se davi un passaggio a qualcuno o se ti avevano dato un passaggio, invece di chiedere: «Quanto ti devo?», avresti dovuto prendere po' di soldi dalla tasca e dire: «Metti un po' di benzina alla macchina», e uscire dalla macchina. Vedi l'interazione tra queste due cose. Quindi, il motivo per cui hai chiesto a qualcuno: «Quanto ti devo?», è perché potresti essere impegnato in questo processo rituale di disconoscere, in sostanza, l'idea stessa di «dovere».

**Stefano:**   Sì, esatto, proprio così. In modo da iniziare a praticare, improvvisare, il rapporto tra necessità e libertà non sulla base di debito e credito, ma su quella di un debito impagabile.

**Fred:** Sì, la maggior parte delle volte, se avevi un po' di soldi, non c'era da discutere. Avresti detto semplicemente: «Metti un po' di benzina in macchina». Quindi saresti uscito dalla macchina e avresti lasciato un po' di soldi sul sedile.

**Stefano:** C'è un momento di necessità, ma è nel contesto della libertà, piuttosto che il contrario, e questo è l'unico modo possibile quando pensiamo alla capacità e al bisogno liberi dal punto di vista, e allora questa non è più una politica distributiva, ma un esperimento per farti scoprire nuove necessità nelle tue abilità, e nuove abilità nelle tue necessità, al ritmo dell'antagonismo generale, non contro, performato tra i due e tra i molti.

**Fred:** Già, e questo è il motivo per cui secondo me... vedi, stavo esaminando questa cosa, ed era illogica, se vuoi chiamarla così, ma era anche performativa. Per quanto mi riguarda, non sto dicendo che è l'unica forma che lo studio assume, ma qualsiasi nozione di studio che non riconosca questa forma non è lo studio a cui sono interessato.

**Stefano:** Dove si trova l'abolizione del credito si trova lo studio. Ma non si può richiedere l'abolizione del credito nel modo in cui si sentono fare le richieste per l'abolizione del debito, perché la chiamata per abolire il credito sta sempre già puntando a tutto, è una chiamata che mette in atto, che è messa in scena. In altre parole, non abbiamo bisogno di niente per indebitarci insieme. Abbiamo già una sovrabbondanza di debiti reciproci che non vogliamo pagare, non vogliamo pagare, quindi perché dovremmo reclamare qualcosa? Ma possiamo unirci a questa pienezza e alla sua performance quotidiana. Inoltre, unendoci forse evitiamo alcune delle cose che il credito porta, e quello che la richiesta di remissione del debito porta come risultati indesiderabili, dall'elevazione razziale all'insediamento coloniale.

**Fred:** Sì, cioè, io amo Fanon, ma la nerezza non è una cosa a cui ha pensato in un appartamento con altre persone erano appena approdate alla condizione di quello che chiamiamo il non avere casa, o andando ancora più nel profondo, che fossero arrivati ad averne qualche conoscenza. Ora, alcuni dicono che la nerezza sia meglio compresa non come un insieme specifico di pratiche in cui le persone che sono chiamate nere si impegnano, perché dobbiamo tenere in conto le persone che sono chiamate nere, ma che non si impegnano più in tali pratiche, o non l'hanno mai fatto; piuttosto, sostengono che la nerezza sia un progetto portato avanti da persone che chiamiamo intellettuali nella misura in cui confutano, per mezzo di protocolli essenzialmente hegeliani, una qualche relegazione essenzialmente hegeliana alla zona in cui tutto quello che si può fare è impegnarsi in quella specifica serie di pratiche autentiche che sono diventate, infine, nient'altro che un marchio di privazione. La mia risposta è no, la questione della nerezza è che è abbastanza ampia e aperta da comprendere tutte queste cose senza confinarle – ed è comunque qualcosa di problematico suggerire che in qualche modo la vita intellettuale esiste, a un certo livello di scala, dall'altra parte del cosiddetto autentico. Perché immagino in modo figurato che le performance di un certo modo di socialità implichino già anche la produzione continua della teoria della socialità. Voglio dire, mi interessa questo, proprio come mi interessa il vecchio Socrate tutto eccitato quando vede dei bei ragazzi giovani a cui vuole solo avvicinarsi, i quali dicono: «Amico, vieni alla palestra perché dobbiamo parlare di amicizia», e lui fa «Oh sì, verrò». Anche questo è un bene, quella lisi che non sembra mai finire – totale, completa, ma in un completamento inspiegabile o indecidibile. Anche quello di cui parlavano era buono. Ci sono tanti luoghi possibili da cui si potrebbe iniziare una critica del mondo amministrato, o una qualche conoscenza del sé amministrato, e uno di questi è la Skylark del nonno.

## RIFERIMENTI BIBLIOGRAFICI

Per quanto riguarda il concetto di studio, vorremmo ringraziare Marc Bousquet e gli editori di *Polygraph: an International Journal of Culture and Politics*, in particolare Michelle Koerner e Luka Arsenjuk per una precedente conversazione su questo concetto.

Per il capitolo dedicato a pianificazione e policy, per le discussioni che hanno portato alla revisione di questo pezzo, vorremmo ringraziare organizzatori e partecipanti delle Winter Sessions 2012 al Performing Arts Forum di St. Erme, in Francia, e in particolare Jan Ritsema e Marten Spångberg. Per il capitolo sulla logistica, vorremmo segnalare il lavoro innovativo di Ned Rossiter e dei suoi colleghi sul progetto *Transit Labour* (online sul sito transitlabour.asia).

## LA POLITICA ACCERCHIATA

Michael Parenti, *Make-Believe Media: The Politics of Entertainment*, St. Martin's Press, 1992.

## NEREZZA E GOVERNANCE

Karl Marx, *Grundrisse. Lineamenti fondamentali di critica dell'economia politica*, manifestolibri, 2012, p. 329.

Harryette Mullen, *Runaway Tongue: Resistant Orality in Uncle Tom's Cabin, Our Nig, Incidents in the Life of a Slave Girl, and Beloved* in Shirley Samuels (a cura di), *The Culture of Sentiment: Race, Gender, and Sentimentality in Nineteenth-Century America*, Oxford University Press, 1992.

Sulle questioni di nerezza e stile rimandiamo a:

Telma Golden, *Freestyle* (Studio Museum in Harlem, 2001), così come alla sua confutazione anticipatoria, Amiri Baraka & Fundi, *In Our Terribleness: Some Elements and Meaning in Black Style*, Bobbs-Merrill, 1970.

Jacques Lacan, *Lo stadio dello specchio come formatore della funzione dell'io* in *Scritti*, Einaudi, 1974, p. 89 e Hussein Abdilahi Bulhan, *Frantz Fanon and the Psychology of Oppression*, Plenum Press, 1985, pp. 155-177.

Michel Foucault, *Storia della sessualità 1. La volontà di sapere*, Feltrinelli, 2001, p. 127.

Kara Keeling, *The Witch's Flight: The Cinematic, The Black Femme, and the Image of Common Sense*, Duke University Press, 2007.

## PIANIFICAZIONE E POLICY

Cornel West, *Reconstructing the American Left: The Challenge of Jesse Jackson*, «Social Text», 11 (1984-1985), pp. 3-19.

Fred Moten, *Black Op*, «PMLA», 123, 5, 2008, pp. 1743-1747.

Per un dibattito sul comando come termine economico si rinvia a:

Toni Negri in *Fabbrica di porcellana. Per una nuova grammatica politica* (Feltrinelli, 2008), e Paolo Virno sull'opportunismo in *Grammatica della moltitudine. Per un'analisi delle forme di vita contemporanee*, DeriveApprodi, 2014.

## FANTASIA NELLA STIVA

Omise'eke Natasha Tinsley, *Black Atlantic, Queer Atlantic*: *Queer Imaginings of the Middle Passage*, «GLQ», 14, 2, 2008, p. 3.

Sara Ahmed, *Queer Phenomenology*: *Orientations, Objects, Others*, Duke University Press, 2007.

Sandro Mezzadra e Brett Neilson, *Confini e frontiere. La moltiplicazione del lavoro nel mondo globale*, Il Mulino, 2014.

# Sconcerto a più voci: con e per gli undercommons

# UNA COLLABORAZIONE ANORIGINARIA
## TRA QUESTIONI DI GENERE/I E COMPLICITÀ

**Carmine e Chiara:** Nel testo che avete appena terminato di leggere, troverete alcune parole declinate attraverso lo schwa (ə), la vocale utilizzata per accogliere quei generi che non si riconoscono nel binarismo maschile/femminile. A volte, per questioni di musicalità, caratteristica importante di questo libro al pari della sua testualità, abbiamo preferito invece utilizzare l'alternanza tra i generi. Si tratta di soluzioni miste, disordinate, sicuramente imperfette, necessariamente incomplete. Sono soluzioni che non hanno la pretesa di generare a tutti i costi un dibattito, ma che vorrebbero consegnare la possibilità di un inciampo nella lettura, un'interruzione che riteniamo essenziale per provare a forzare i limiti stessi del linguaggio. E che, al potere maschile della norma, non rispondono con la pretesa di generare ulteriori norme.

Sin dalle prime fasi della traduzione collettiva, è apparsa a tuttə noi l'importanza accordata dagli autori alla questione di genere. Nel testo originale, infatti, Harney e Moten identificano rispettivamente l'intellettuale critico e il creditore come *he* e la studentessa e la debitrice come *she*, operando un'*interruzione* importante nell'evidenziare quei rapporti di forza, strutturalmente connotati dal potere maschile, che viviamo nel nostro rapporto quotidiano con le istituzioni neoliberali. In molte occasioni, però, dove il genere non è da loro specificamente enunciato, emerge quell'ambiguità propria della lingua inglese che, in traduzione, porterebbe generalmente a privilegiare l'uso sovraesteso del maschile, un uso che non avrebbe reso giustizia al *noi* della comunità nera e queer degli undercommons. Discutendone con gli autori, abbiamo dunque colto il loro invito a confrontarci con quelle ricerche sperimentali, compiute oggi nei movimenti e nel mondo della cultura, a favore di un linguaggio accogliente verso le esperienze di dissidenza dai generi. La traduzione italiana di *Undercommons* si è così fatta pratica di sperimentazione, trasformando il testo in uno spazio di conflitto.

La declinazione del genere in *Undercommons* è solo uno dei molti temi che hanno attraversato il processo di *studio* che anoriginariamente si è raccolto «intorno, sopra, lungo, una volta e di nuovo, inversamente» a questo libro. Fin dalle prime battute di questo processo, per entrambe le case editrici, Archive Books e Tamu, si è manifestata la necessità di abbracciare la radice relazionale della pratica editoriale, la sua capacità cioè di trascendere confini e terreni stabiliti per creare momenti di condivisione, di discussione e di creazione collettiva di significati e di significanti. Il testo è diventato, così, uno *spazio sociale* sperimentale e poroso, a sua volta oggetto e modalità di studio, dove abbiamo estaticamente improvvisato la complicità con gli undercommons.

Se l'alleanza implica un impegno attivo al fianco di chi lotta, la complicità si fa carico di uno smantellamento mirato delle strutture oppressive attraverso un «piegarsi insieme» (*cum* e *plico*), che qui significa sia avvolgere il testo che restituirne la complessità.

D'altronde, l'editoria emerge dal desiderio di trovare delle complici che possano intrecciarsi nella lettura, così come nella traduzione, sui terreni di lotta che di volta in volta si profilano. È successo con gli undercommons che emergono da un terreno di lotta complicato e da complicare: dal pensiero radicale nero e, più propriamente, dal radicalismo femminista nero che già negli anni '70 aveva teorizzato e pianificato la necessità dello stare *con* e *per*, tra questione di genere/i e complicità.

Undercommons verrà letto a mente o ad alta voce, verrà annotato, ascoltato, riascoltato, e ascoltato ancora, contestato; si camminerà con Undercommons e si immaginerà come è possibile vivere altrimenti, non con lo scopo ultimo di porre fine ai problemi del mondo che abitiamo, ma aspirando a porre fine al mondo che li ha creati. O per dirlo con Denise Ferreira da Silva, alla fine del mondo così come lo conosciamo.

## UNA RACCOLTA DI INTENSITÀ

**Vasco:** A volte capita che un libro entri nella nostra vita in modo furtivo ma fatidico, come se vi fosse irrimediabilmente connesso il nostro destino di lettori. Così è successo anche con Undercommons, dimenticato da un amico sul sedile della mia macchina, un'estate di tanti anni fa, e mai più restituito. Del libro già conoscevo gli echi, era a suo modo un oggetto di culto, un testo opaco e denso di vita che fin dal primo incontro sembrava invitare a infinite riletture – quanto sarebbe stato bello poterlo leggere in italiano.

Poi un altro incontro fortuito, una sera di novembre nel bar della ~~Colonie~~ a Parigi, stavolta non con il libro ma con la presenza inconfondibile dei suoi due autori. Tutto il mio stupore e la mia riverenza dissolti in pochi istanti nella convivialità di una chiacchierata, quasi una rivelazione di quello stare *con* e *per* gli altri che dà vita a molta della loro scrittura. Nell'abbraccio che mi hanno regalato poco prima di salutarci tutta la forza, l'intensità e la sorpresa del far sentire a casa un perfetto sconosciuto. In una conversazione pubblica Fred e Stefano parlano dello studio come di un «*gathering of intensities*», ovvero una raccolta di intensità, un'espressione e una pratica che mi sembrano ritrarre il gruppo che, con reciproca complicità, si è raccolto intorno a questa traduzione.

Chissà se era anche a questo che alludevano gli autori parlando dell'«organizzazione profetica degli undercommons». Dell'«essere più di uno/a» nel rilevare tanto la brutalità del presente quanto l'orizzonte utopico del futuro, nel rimettere al mondo il mondo, anche a partire dal linguaggio. Certo è che seguendone il suono ci siamo persi, a tratti, nella lingua fuggitiva degli undercommons. E se l'antagonismo generale, presente in ogni pagina di questo libro, non è assente dalla storia italiana, dai suoi gruppi e movimenti, e dalle sue specificità socio-culturali, è forse nel lessico (o nell'assenza di esso) che si scorge un mancato riconoscimento verso quella tradizione radicale nera di cui Fred e Stefano sono studenti e interpreti.

Ricordo la sensazione di dissonanza percepita leggendo e scrivendo, per la prima volta, parole come *nerezza*, *bianchezza* o *studio nero*. Eppure già dopo un istante questa dissonanza si è rivelata necessaria, vitale; per noi, una preziosa occasione di studio e un'indicazione dell'orizzonte nel quale collocare le nostre pianificazioni future, dentro e oltre il testo. Se nel corso degli anni gli autori si sono battuti per mantenere incompleti alcuni dei concetti centrali di questo libro, auspicando a partire da tale incompletezza il bisogno di ulteriore studio, il proposito è che anche in Italia *Undercommons* possa accompagnarci nel processo di riconoscimento e riarticolazione di quelle forme di studio, pianificazione e cospirazione collettiva già da tempo attive a pieno regime nella realtà che ci circonda.

## QUANDO IL "LAMENTO" IRROMPE, LA SOLISTA SCOMPARE

**Emanuela:**    In un testo cruciale, citato da Moten e Harney in questo libro, Gayatri Spivak scrive che tradurre è il più intimo atto di lettura. Nella lettura come nella traduzione, infatti, ci si arrende – ci si scoraggia, direbbe Jacques Derrida – a qualcos'altrə, all'altrə, trovando amore tra quello che era e quello che sarà: il tocco d'amore tra l'originale e la copia. Leggendo e traducendo Undercommons, lo scoraggiamento si affaccia su più tratti: il tratto linguistico della parola opaca, il tratto musicale della nota e del canto, che iniziano nella mutezza anticipatrice dell'emissione di suono, il tratto extra-linguistico dei meandri degli undercommons, che sono da nessuna parte ma pur ravvisano la via sottocomune, il modo di stare con e per, insieme.

In questo modo e in questa via sottocomune ci siamo incontrate, persi, scoraggiate, arresi: abbiamo amato e siamo diventati degli amanti. Le amanti all'interno del testo, al di fuori della macchina della traduzione e dell'insegnamento. Lo abbiamo fatto inconsapevolmente, forse, per uscire dalla monotonia del-la solista, della parola intrappolata nella retorica che esige la resa semantica a tutti costi. Lo abbiamo fatto per (ar)renderci (al fatto che siamo) vite incomplete, esposte alla responsabilità del condividere con empatia, senza cercare il sé nell'altrə, o viceversa.

Parlando di condivisione, in un recente podcast, Moten si sofferma sulla partecipazione di Hortense Spillers al film-documentario quasi-ipnotico di Arthur Jafa, *Dreams Are Colder Than Death* (2014). La studiosa, una delle voci più amate dell'*ensemble* teorico e musicale degli autori, oltre a fornire l'incipit con l'invito a preservare la bellezza nera, offre la sua riflessione cruciale sull'idea della condivisione della pena. Sua sorella è morta. Soffriva a causa dell'amputazione della gamba che le aveva, inevitabilmente, procurato un effetto fantasma; ora che la sorella non c'è più, Spillers sente quello stesso dolore fantasma. Come afferma Moten, la capacità di sentire il dolore altrui, l'empatia, non è semplicemente il sentire il dolore dell'altrə, ma è la condivisione di una pena generale in cui non si riduce l'altrə al sé. Cosa significa essere capaci di condividere la pena generale? Saremmo mai capaci di accogliere questa forma di coabitazione, complicità ed empatia, nella forma di ciò che Denise Ferreira da Silva, altra voce importante dell'*ensemble* sopracitato, meravigliosamente chiama «differenza senza separabilità»? Se lo abbiamo fatto, qui, è per condividere il lamento comune che irrompe e interrompe la dimensione del-la solista: «When moaning breaks the soloist walks again».

Il lamento accompagnato che spazza via l'assolo, attraversato da un formicolio stridente che porta sulla nuova modalità del tradurre: avvicinare l'orecchio alla pagina, senza la pretesa armonica, o necessariamente corale e polifonica; ascoltare la pagina che si lamenta (*moaning*) al mattino (*morning*) del lutto (*mourning*) per la perdita di un senso unico. La pagina deve, così, perdersi, scendendo nel tentativo sottocomune d'essere ascoltata, come si perde e scende la notte. Se la traduzione è un movimento, si muove dall'originale alla copia in nomadismi notturni. Mai sola. Senza quell'assolo stridente che non è mai, a ogni modo, assolo del tutto.

## L'INTELLETTUALE SOVVERSIVA: IN VIAGGIO PER ESSERE NELL'UNIVERSITÀ, MA NON DELL'UNIVERSITÀ

**Angelica:**   Leggere, discutere, capire e tradurre la complessità delle parole racchiuse in *Undercommons* è stato come imbarcarsi in un lungo viaggio, dalla destinazione incerta. Molti, infatti, sono stati i mesi di riflessione trascorsi su ogni capitolo, ogni paragrafo, ogni frase. E come in ogni *vero* viaggio, la meta non è stata la destinazione. Se il *viaticum* latino, da cui deriva la parola «viaggio», si riferiva a ciò che ci si porta dietro, la provvista necessaria per intraprendere e sopravvivere un cammino dall'esito incerto, anche in questo caso il nostro viaggio si è materializzato lungo la via, rivelandosi un viaggio in grado di mettere in discussione, di turbare, di scalfire visioni e convinzioni. Tuttavia, è stato un cammino capace di scaturire riflessioni nuove e pensieri rivoluzionari, fornendo una ricchezza epistemologica inestimabile.

E sono proprio i luoghi del sapere, e dunque del potere, uno dei temi portanti di questo volume, le cui considerazioni possono rivelarsi destabilizzanti, in grado di produrre un senso di stordimento. Dell'università, infatti, gli autori forniscono una critica decisa. Una sola relazione, ci dicono, si può avere con questa istituzione del potere: una relazione «criminale», in cui bisogna rubare tutto il possibile, usufruire dell'ospitalità e ostacolarne la missione, per essere «nell'università ma non dell'università». Questo è, infatti, il percorso dell'intellettuale sovversiva, poiché l'università necessita del suo intelletto e del suo lavoro anche se, tramite l'uso di una meravigliosa semantica dalle sfumature poetiche, apprendiamo che l'università non riesce a sostenere ciò che lei porta con sé, nonostante necessiti la sua presenza, ovvero, «the university needs what she bears but cannot bear what she brings». Si avverte, dunque, una critica verso l'Universitas e i suoi processi di «professionalizzazione», che da un lato sono in grado di creare condizioni lavorative accademiche talmente avverse da rendere lo studio quasi impossibile, e dall'altro comportano la produzione e l'esportazione di una forza lavoro universitaria nelle industrie creative che, come afferma Harney, viene usata precisamente per prevenire lo studio. La dimensione materiale gioca ovviamente un ruolo fondamentale poiché la studentessa, carica di debiti e interessi, si formerà intravedendo nel proprio debito la fonte del futuro credito. Un credito che le consentirà di perseguitare altre debitrici, di privatizzare, di chiedere ulteriore credito, di gestire il debito.

La fuggitività s'impone allora come arma di resistenza delle comunità clandestine di maroon, che si incontrano nell'undercommons, un sottoterreno oscuro e radicale. Qui si sovverte il lavoro dei piani alti, si mette in discussione l'oggetto della conoscenza; qui si raccontano conoscenze alternative anche se non si ha accesso ai libri; qui non si verrà mai pubblicate né si avrà mai credito. Ma è proprio in questa dimensione che fermenta quella pianificazione fuggitiva in cui «il lavoro viene portato a termine, dove il lavoro viene sovvertito, dove la rivoluzione è ancora nera, ancora forte». E allora il viaggio continua...

## "HOLLER DI CAMPO": TRADURRE TRA FLUTTUAZIONI DI VOCI, URLA E GRIDA

**Justin:** Se l'*holler di campo* ha le sue origini nei richiami alla preghiera islamica dell'Africa occidentale, allora in un certo senso non è mai stato inteso come un approccio solitario o individuale al suono. La sua funzione gregaria è stata trasposta attraverso l'Atlantico per la formazione di una modalità in grado di mantenere una connettività eterea, un campo sonoro che si estende oltre i confini delle proprietà. Porta sulle sue onde un debito profondo verso il lavoro collettivo, fardelli condivisi, lo spirito e i desideri cantati come invito e lamento allo stesso tempo.

Le fluttuazioni di tono che lottano con e per una più ampia gamma di ricezione uditiva, la critica, il lamento, la richiesta e l'annuncio, sono tutti avvinghiati e inviati nell'aria con la speranza e il pegno di essere accolti. Le urla e le grida non prescrivono la risposta né cercano di essere artefici di niente, ma una volta nel vento sono legate a tutto ciò che incontrano. Se il vero significato dell'azione della lettura è indovinare, forse la lettura è meglio compresa come uno sforzo collettivo in cui possiamo indovinare insieme, non per arrivare a un significato finale e dominante concordato, ma per condividere tutte le possibilità all'interno di ogni parola. Impegnarsi nella traduzione significa estendere l'atto di indovinare e giocare con le parole, poiché, inevitabilmente, si tratta di parole che conosciamo, che assumono un nuovo significato attraverso la loro decostruzione, ricostruzione e risignificazione. In un certo senso, forse la scrittura di un testo è come l'*holler di campo* che esce come un lamento e un invito. Forse siamo spesso presi nell'intimità dei nostri scambi individuali con le parole, o accecati dalla vicinanza del testo stampato, per apprezzare l'invito che ci viene offerto. L'appello per la traduzione di questo testo, espresso come una forza generativa, ci ha incontrate impegnate e impegnati dove eravamo, con i nostri background e interessi condivisi e scollegati. L'opportunità di impegnarci profondamente non solo nei contenuti ma nelle parole stesse ci ha dato la possibilità di cimentarci nella lettura, di imbatterci in significati e incontri.

Per un *griot*, ogni volta che una storia viene raccontata questa assume una nuova forma e un nuovo significato, sia per chi la racconta che per chi la ascolta. Questa funzione di rimodulazione e rivisitazione diventa parte della forza di comprensione e comunicazione delle parole stesse. In questo approccio collettivo alla traduzione sono emerse diverse funzioni della lettura: comprendere, fare chiarezza, studiare, ma anche trasmettere significato oltre i confini linguistici. Questa forma di lettura permette di ricercare e studiare da angolazioni diverse. Si preoccupa di affrontare tutto ciò che è intraducibile e concede l'opportunità di sviluppare un nuovo significato che sconvolge quelli che lo hanno preceduto e, potenzialmente, quelli che lo seguiranno.

# IL GRUPPO DI STUDIO E TRADUZIONE
## CON E PER GLI UNDERCOMMONS

**Carmine Conelli** è tra i co-fondatori di Tamu Edizioni. Dopo aver conseguito il dottorato in Studi internazionali all'Università L'Orientale di Napoli, lavorando sulla colonialità della questione meridionale, si è dato alla fuga dal mondo accademico.

**Chiara Figone** è un'editrice, ricercatrice e agitatrice, vive tra Dakar e Berlino. Nel 2009 ha fondato Archive, un'organizzazione che attraverso la pratica editoriale, discorsiva ed espositiva si impegna a rispondere alle complessità del mondo contemporaneo. Dal 2007 è docente di Editoria alla Nuova Accademia di Belle Arti di Milano.

**Vasco Forconi** è un curatore e ricercatore indipendente. Vive e lavora tra Roma e Stoccolma. È stato curatore in residenza alla V-A-C Foundation di Mosca, e dal 2019 collabora attivamente con CuratorLab, programma di ricerca curatoriale dell'Università di Konstfack.

**Emanuela Maltese** è ricercatrice di spiritualità femminili e femministe, letterature afroamericane e afro-diasporiche. È attualmente dottoranda in letterature anglofone presso l'Università Carolina di Praga, dopo aver conseguito il suo primo dottorato di ricerca in Studi culturali e postcoloniali del mondo anglofono all'Università di Napoli l'Orientale.

**Angelica Pesarini** è una sociologa e docente universitaria alla New York University di Firenze. Si occupa di temi quali razza, identità e cittadinanza nell'Italia coloniale e postcoloniale e si interessa anche della razzializzazione del discorso politico sull'immigrazione.

**Justin Randolph Thompson** è un artista, organizzatore ed educatore nato a Peekskill, NY. Thompson vive tra l'Italia e gli Stati Uniti dal 1999 ed è co-fondatore e direttore di Black History Month Florence.

Queste sono le voci che si sono raccolte nella primavera 2020 attorno al desiderio e alla necessità di studiare, tradurre e diffondere in lingua italiana *Undercommons*.

Stefano Ha███████████████████sore onorario
del Social Ju████████████████mbia Univer-
sity. Di formazione interdisciplinare, studia le questioni
legate alla razza, al lavoro e all'organizzazione sociale
attraverso il pensiero dell'autonomia e la teoria postcoloniale. Tra le sue pubblicazioni più importanti, *State Work:
Public Administration and Mass Intellectuality* (Duke
University Press, 2002) e, insieme a Howard Thomas, *The
Liberal Arts and Management Education. A Global Agenda
for Change* (Cambridge University Press, 2020). È attivo
in diversi collettivi, tra i quali: Le Mardi Gras Listening
Collective, freethought, School for Study, Ground Provisions
e Anti-Colonial Machine. Harney vive e lavora a Brasilia.

**Fred Moten** (Las Vegas, 1962) è un poeta e teorico culturale.
Insegna al dipartimento di Performance Studies dell'Università di New York. Interessato alla relazione tra movimenti sociali ed estetica nera, conduce ricerche nelle aree
della teoria critica, della letteratura, dell'arte, della performance e della musica. Nel 2020 ha ricevuto il prestigioso
premio della MacArthur Foundation per il suo sforzo teorico
«nel creare nuovi spazi concettuali per accogliere le forme
emergenti dell'estetica nera, della produzione culturale e
della vita sociale». I suoi scritti degli ultimi quindici anni
sono raccolti nella trilogia *consent not to be a single being*
(Duke University Press). Vive e lavora a New York.

9 791280 195029